9.95

Antonine
Maillet

Margot la Folle

LEMÉAC

Antonine Maillet est née à Bouctouche, au cœur de l'Acadie, dans le Nouveau-Brunswick. Après des études en arts
et lettres aux universités de Moncton et de Montréal, elle
obtient le grade de docteur ès lettres de l'Université Laval
avec une thèse sur *Rabelais et les traditions populaires en
Acadie.*

PUBLICATIONS:

Pointe-aux-Coques (Fidès, 1958 et Leméac, 1972), roman.
On a mangé la dune (Beauchemin, 1962 et Leméac, 1977),
roman.
Les Crasseux (Holt & Rinehart, 1968, Leméac, 1973 et nou-
velle version, 1974) théâtre.
La Sagouine, (Leméac, 1971-1973-1974, Grasset, 1976, Leméac,
1986, collection Poche-Québec), monologues.
Rabelais et les traditions populaires en Acadie, (Les Presses
de l'Université Laval, 1971-1980), thèse de doctorat.
Don l'Orignal (Leméac, 1972), roman.
Par-derrière chez mon père (Leméac, 1972, et 1987, collec-
tion Poche-Québec), contes.
L'Acadie pour quasiment rien (Leméac, 1973) guide touristi-
que et humoristique.
Mariaagélas (Leméac, 1973, Grasset, 1975), roman.
Gapi et Sullivan (Leméac, 1973), théâtre.
Emmanuel à Joseph à Dâvit (Leméac, 1975), roman.
Évangéline Deusse (Leméac, 1975), théâtre.
Gapi (Leméac, 1976), théâtre.
Les Cordes-de-bois (Leméac, 1977, Grasset, 1977), roman.

Le Veuve Enragée (Leméac, 1977), théâtre.
Le Bourgeois Gentleman (Leméac, 1978), théâtre.
Pélagie-la-Charrette (Leméac, 1979, Grasset, 1979, (éditions luxe, relié, poche France Loisirs, Tallandier), roman.
La Contrebandière (Leméac, 1981), théâtre.
Christophe Cartier de la Noisette dit Nounours (Hachette, 1981, Leméac, 1981) conte pour enfants.
Cent ans dans les bois (Leméac, 1981), roman.
La Gribouille (Grasset, 1982), roman.
Les drolatiques, horrifiques et épouvantables aventures de Panurge, ami de Pantagruel (Leméac, 1983), théâtre.
Crache-à-Pic (Grasset, 1984, Leméac, 1984), roman.
Le Huitième Jour (Leméac, 1986, Grasset, 1987), roman.
Garrochés en Paradis (Leméac, 1986), théâtre.

TRADUCTIONS EN ANGLAIS:

The Tale of Don l'Orignal, par Barbara Goddard (Clark & Irwin, 1978).
La Sagouine, par Luis de Céspedes (Simon & Pierre, 1979).
Pélagie-The Return to a Homeland, par Philip Stratford (Doubleday, New York et Toronto, 1982), John Calder Publishers et General Paperbacks, 1983.
Christopher Cartier of Hazelnut also known as Bear, par Wayne Grady (Methuen, 1984).
The Devil is loose, par Philip Stratford (Lester & Orpen Dennys, 1986).
Mariaagelas, par Ben Z. Shek (Simon & Pierre, 1986).

TRADUCTIONS EN LANGUES ÉTRANGÈRES:

Pélagie-la-Charrette (en langues slovaque et bulgare).

PRIX:

Prix Champlain 1960, *Pointe-aux-Coques.*
Prix de la meilleure pièce canadienne présentée au Festival de théâtre 1958, *Poire-Âcre*, inédite.
Prix du Conseil des Arts 1960, *Les Jeux d'Enfants sont faits*, théâtre, inédite.
Prix du Gouverneur Général 1972, *Don l'Orignal.*
Grand Prix de la ville de Montréal 1973, *Mariaagélas.*
Prix des Volcans, (France), 1975, *Mariaagélas.*
Prix France Canada 1975, *Mariaagélas.*
Prix Littéraire de la Presse 1976.

Prix des Quatre Jurys 1978, *Les Cordes-de-Bois.*
PRIX GONCOURT 1979, *PÉLAGIE-LA-CHARRETTE.*
The Chalmers Canadian Plays Awards, Toronto, 1980, *La Sagouine.*
Ordre des francophones d'Amérique 1984.

DOCTORATS HONORIFIQUES:

Université de Moncton, 1972, Lettres.
Carleton University, Ottawa, 1978, Littérature.
Université d'Alberta, Edmonton, 1979, Droit.
Mount Allison University, Sackville, 1979, Littérature.
Saint Mary's University, Halifax, 1980, Lettres.
Windsor University, Windsor, 1980, Lettres.
Acadia University, Wolfville, 1980, Lettres.
Université Laurentienne, Sudbury, 1981, Lettres.
Université de Dalhousie, Halifax, 1981, Droit.
Université de Toronto, 1982, Droit.
Université Queen's, Kingston, 1982, Droit.
Université McGill, Montréal, 1982, Lettres.
St-Francis Xavier University, Antigonish, 1984, Droit.
St-Thomas University, Fredericton, 1986, Lettres.
Université Ste-Anne, Church Point, Nouvelle Écosse, 1987, Lettres.
Mount St-Vincent University, Halifax, 1987, Lettres.

TITRES:

Officier de l'Ordre du Canada, 1976.
Officier des Palmes académiques françaises, 1980.
Chevalier de l'Ordre de la Pléiade (A.I.F.L.F.), Frédéricton.
Membre de l'Association des Écrivains de Langue française.
Membre de la Société des Auteurs et Compositeurs Dramatiques de France.
Membre de la Société des Gens de Lettres de France.
Membre de la Société Royale du Canada.
Membre de l'Académie canadienne-française.
Gloire de l'Escolle, Université Laval, 1981.
Compagnon de l'Ordre du Canada, 1982.
Membre de l'Ordre des francophones d'Amérique, 1984.
Officier des Arts et Lettres de France, 1985.
Membre du Conseil Littéraire de la Fondation Prince Pierre de Monaco.
Membre du Haut Conseil de la francophonie, 1987.

CRÉATION ET DISTRIBUTION

MARGOT LA FOLLE a été créée à Montréal le 30 septembre 1987 au Théâtre du Rideau-Vert, dans une mise en scène de Guillermo de Andrea, des costumes de François Barbeau, des décors de Yvan Gaudin et des éclairages de Nick Cernovitch. La distribution était la suivante:

YVETTE BRIND'AMOUR .... MARGOT

JANINE SUTTO .... CATHERINE

JEAN DALMAIN .... OLIVIER L'ANCIEN

LUIS DE CÉSPEDES .... JOLICOEUR

ALAIN LAMONTAGNE .... NICOLAS

LIEUX

Dans l'île d'Anticosti, sur sa côte la plus sauvage, qui emprunte le décor-paysage de Peggy's Cove: roches immenses et arrondies comme des dos de baleines gigantesques; au fond, quelques pilotis supportant un bout de quai et un coin de hangar. À l'avant-scène, bord de mer qu'on devine au bruit des vagues et aux cris des goélands. Le phare est invisible, mais on le devine dans le coin opposé au quai. On verra à la fin son faisceau lumineux.

TEMPS

Au début du siècle. Une journée au premier acte; une journée trente jours plus tard, au deuxième acte. En été.

PERSONNAGES

Margot la Folle: Femme énigmatique et ébouriffée, insaisissable et pourtant réelle avec ses tics, passions, colères ou triomphes, venue d'on ne sait où, sans âge, et qui ne révélera sa vraie nature qu'à la fin.

Olivier l'Ancien: Septuagénaire, toqué et rêveur, chercheur de trésors, philosophe, qui vit de vent et de la charité des voisins. Français d'origine qui a échoué dans l'île un demi-siècle plus tôt.

Catherine Atras: Mère dans la cinquantaine, veuve des Atras, famille de gardiens de phare qui ont péri tragiquement, l'un après l'autre, victimes d'un sort jeté sur la famille qui avait usurpé la garde du phare qui revenait de droit à un rival. Elle est bien réelle, vit de moules et de réparations de filets de pêche, et cherche à soustraire son fils à la malédiction.

Nicolas Atras: Jeune homme dans la jeune vingtaine, dernier des Atras, qui veut suivre son destin et succéder à son cousin, son père, ses oncles et son aïeul. Simple, naïf, inconscient du danger qui le menace, déchiré entre le rêve de son vieil ami Olivier, chercheur de trésors, sa mère qui veut le soustraire au sort, et Margot qui le pousse vers son destin, le phare.

Jolicœur: Un matelot naufragé, accueilli par les Atras et qui se prend d'amitié pour ses sauveteurs. À la fois aventurier et réaliste, bon et fanfaron.

MARGOT LA FOLLE

À la mémoire de Louise Darios

PREMIER ACTE

En une journée, l'été.

SCÈNE I

Le rideau se lève sur la nuit. Mais déjà l'aube pointe à l'horizon. Apparaît Margot la Folle qui traverse la scène en coup de vent, courant sur les roches et réveillant sur son passage la nature et la vie endormies. Les goélands s'envolent dans un tel bruit que le jour se lève d'un bond, frappant le ciel comme un gong. Margot lance un ricanement à la fois lugubre et joyeux, et disparaît.

SCÈNE II

Le bruit a arraché Catherine à sa maison, cachée derrière les pilotis, et l'amène sur le quai.

CATHERINE

La folle encore! La folle de Margot! Le monde à l'envers se remettra donc jamais à l'endroit, une fois pour toutes? Terre de malédiction! (*Rire de Margot au loin. Catherine s'attrape la tête.*) Ah!... Et en plusse, faut à ce pays du bout du monde entendre chaque matin les hurlements d'une folle ébouriffée. De toutes les îles qui picotent les océans, fallait que la chavirée choisisse Anticosti pour y semer son tintamarre. Quelle vie!

Elle s'éloigne. Margot réapparaît.

MARGOT

Restes de vie réchauffée de la veille, heh, heh, heh! Pauvre veuve des Atras qui s'accroche à ses restes et s'acharne à se refaire du neuf avec des défaisures. Tut, tut, tut!

Elle tourne son index sur sa tempe, en allusion à la folie de Catherine. Puis elle s'en va. Catherine revient chargée de filets de pêche qu'elle va étendre sur les roches. Elle pose à côté d'elle une théière et un bol. Pendant qu'elle prend son thé, on entend au loin la voix de Nicolas qui l'appelle.

CATHERINE

Tiens! Le chasseur de trésors qui me rapporte des cailloux lumineux. (*Elle répond aux appels de son fils.*) Oui, oui, je suis là, réveille pas les morts!

SCÈNE III

Arrive Nicolas, essoufflé et émerveillé devant un caillou rare. Sa mère continue à réparer ses filets et prendre son thé, lui répondant sans lever la tête.

NICOLAS

Là, je crois que j'en ai trouvé une vraie. Regarde bien, m'man. Vire-le sus tous les bords. C'est plein de veines là-dedans. Crois-tu que c'te fois-citte, ça serait une aqua-marine?... p't-être ben une émeraude?

CATHERINE, *sans regarder*

Si fait, si fait, une émeraude, la merveille des côtes.

NICOLAS

Le vieil Olivier m'a dit qu'une émeraude, c'était l'une des pierres les plus recherchées par les pirates, et que si on en trouvait une, égarée, comme ça...

CATHERINE

Et c'est sûr qu'Olivier l'Ancien connaît ça, avec tous les trésors qu'il a dénichés dans sa vie!

NICOLAS

Tu te moques du vieux. Ben pourtant il va finir par le déterrer, son premier coffre un jour et...

CATHERINE

... ce jour-là les poules auront des dents et le mordront, le pauvre fou.

NICOLAS

Olivier l'Ancien est pas fou.

CATHERINE

Mais non, mais non, il est pas fou... juste une petite affaire cinglé. Tiens, bois, ça te réchauffera les en-dedans. (*Elle lui verse du thé et sort de sa poche de tablier un croûton de pain qu'ils se partagent.*) Ça va te faire vieillir avant ton heure de courir les côtes et les bois chaque nuit que le bon Dieu amène.

NICOLAS

Point chaque nuit; les nuits sans lune.

CATHERINE

Et à force de se frotter aux têtes ébouriffées, même les bonnes têtes finissent par chavirer. (*Insidieuse:*) Il a point encore été frayer avec la Margot, c'te nuit, ton ami Olivier?

NICOLAS

La nuit, on est rien que tous les deux, le vieux pis moi. La chasse aux trésors, c'est une affaire d'hommes.

CATHERINE, *lui repasse le pain*

T'as encore des croûtes à manger avant d'être un homme, mon enfant.

NICOLAS

J'ai vingt ans!

CATHERINE

Déjà?... C'est pas possible. J'ai point vu passer le temps. Hier encore, tu...

NICOLAS

... Ben à partir d'aujourd'hui, je suis un homme: le nouveau gardien du phare de la Pointe-à-Margot.

CATHERINE

Tais-toi!

NICOLAS

Tu vas te faire une raison, m'man. J'ai été nommé, t'as la lettre dans ta poche de devanteau.

CATHERINE

J'ai rien dans ma poche de devanteau.

NICOLAS

T'as une lettre arrivée hier par bateau, un courrier qui a fait le détour pour nous l'apporter, jusqu'icitte, la pointe la plus à l'est, la plus sauvage d'Anticosti.

CATHERINE

Anticosti maudit.

NICOLAS

... Une lettre qui me nomme, moi Nicolas, dernier des Atras, gardien du phare de la Pointe-à-Margot. Tu peux pas le nier, ni me priver de mon droit.

CATHERINE

Ton droit? Tu sais quelle façon de droit t'accorde le gouvernement du pays avec son phare? Le droit de crever de la mort tragique des gardiens qui a fauché six des tiens depuis ton grand-père, tous plus vigoureux, plus rusés et plus résolus que toi, pauvre esclave du bon Dieu. La fin ac-ci-den-telle de ton propre père, y a pas trois ans, pis de ton dernier cousin, quasiment encore chaud — que Dieu ait son âme — (*elle se signe, il l'imite*) ça te suffit pas pour te dégoûter? ça te suffit pas, tête de bourricot? Te faut à tout de reste aller fourrer ton nez dans le piège pour sentir l'abouette? Te faut absolument te frotter au manteau de vermine de la Faucheuse? (*Au loin, on entend le rire de Margot et on aperçoit son ombre.*) Ah! la tannante! Elle a encore réveillé toute l'île avec ses hurlements d'engoulevent à matin. Pauvre folle! (*Elle arrache le caillou des mains de son fils et l'examine. Puis doucement, l'air de s'y intéresser:*) Une émeraude avec des veines d'eau...

NICOLAS, *excité*

Tu crois?

CATHERINE

... quasiment un diamant, à y regarder de près...

NICOLAS

Jésus-Christ, m'man, tu te rends compte?

CATHERINE, *qui continue le jeu*

Je crois même qu'un diamant de c'te grosseur-là a eu le temps de faire des petits et que le sable des côtes doit clairdiller sous le soleil à l'heure qu'on parle. (*Puis, brusquement:*) C'est une agate, idiot!

NICOLAS, *déçu*

Une agate?

CATHERINE

Une de plusse pour ta collection. Mets-la en bouteille, elle se conservera mieux.

NICOLAS

Ça parle au diable!... Ah! pis c'est pas la fin du

21

monde. On n'a point encore fouillé le quart du quart de la moitié de nos côtes, Olivier pis moi.

CATHERINE

C'est ça, va rejoindre ton vieil ami d'enfance, Olivier l'Ancien, Olivier le Radoteux, et demande-lui de te raconter comment il est venu dans l'île; et qui c'est qui l'a encouragé à y rester; et où ça l'a mené tout ça; et de quelle manière il s'est enrichi des trésors enfouis sous terre et jamais déterrés. Et pendant que tu creuseras, chaque nuit que le bon Dieu amène, tu laisseras se reposer ta mère qui doit s'attaquer à son lavage le lundi matin; pis le mardi au repassage, le mercredi au reprisage des filets, le jeudi au ratissage des côtes, le vendredi au ménage, le samedi au cuisinage pour le dimanche où elle reprendra son souffle pour se réatteler à sa semaine de six jours le lundi matin... (*Elle regarde au loin.*) Le v'là ton charlatan qui t'arrache à ta mère. (*Elle l'appelle:*) Hé! vieil homme! Olivier! Venez me rendre un petit service, j'ai affaire à vous.

SCÈNE IV

Arrive Olivier, pic sur l'épaule.

OLIVIER, *cérémonieux*
Mes hommages, mame Catherine.

NICOLAS
M'sieur Olivier, j'ai quasiment déniché une émeraude, t'à l'heure.

CATHERINE
Nenni, mon garçon, t'as point quasiment déniché une émeraude; t'as déniché une émeraude quasiment vraie. Mais entre le vrai et le quasiment, y a le faux. Et ça c'est rien entoute. (*Les deux autres haussent les*

épaules.) Y a de quoi pourtant qu'est vrai dans l'île: une malédiction qui nous pend sus la tête depuis bétôt cinquante ans. Là, j'ai décidé que ç'avait assez duré. (*Elle tend une lettre à Olivier.*) Vous allez me répondre à cette lettre-là, Olivier l'Ancien, puisque vous êtes le seul sus notre pointe à savoir écrire.

NICOLAS

Je sais écrire... en français.

CATHERINE

Comme une vache espagnole... Olivier, vous allez dès aujourd'hui répondre au gouvernement qui offre la garde du phare à mon fils que le dernier des Atras remercie les honorables ministres mais qu'il n'en veut point. Point, à la ligne.

NICOLAS

Mais c'est pas vrai, m'man, je le veux.

CATHERINE

Il refuse, tout catégorique.

NICOLAS

M'man!

CATHERINE

Toi, tais-toi.

OLIVIER, *coup d'œil à Nicolas*

C'est dommage, c'est un beau poste, gardien de phare à vie.

CATHERINE

À vie, bien sûr, à vie. On pourra plus lui reprendre le phare, rien que la vie. Comme tous ses aïeux avant lui... Alors la lettre, vous allez me l'écrire?

OLIVIER, *qui fouille dans ses poches*

C'est que je ne trouve plus mes lunettes; pourtant je les avais. Avec l'âge, la vue s'en va.

23

CATHERINE

Avec l'âge tout s'en va. (*Elle s'éloigne en emportant sa lettre.*) Je compte sur vous, bonhomme. Qu'on offre le phare à un autre, si on veut que sa lumière recommence à guider les marins au large.

Elle sort.

SCÈNE V

NICOLAS

Ouais! m'est avis que ça va être une petite affaire malaisé de ramener ma mère à la raison.

OLIVIER

Mais ça, mon garçon, c'est pas une raison pour lâcher. Tout se gagne dans la vie, morceau par morceau. Et plus le morceau est gros, plus il est dispendieux.

NICOLAS

Mais je vois pas pourquoi je devrais payer pour ce qui m'appartient.

OLIVIER

La seule chose qui t'appartient, c'est ta vie. Et puis encore!

NICOLAS

Ben alors, pourquoi on me laisse pas en faire ce que je veux?

OLIVIER

Pour te la conserver intacte, jusqu'à tes vieux jours.

NICOLAS

Voyons! mes vieux jours! Je vas-t-i passer ma vie à penser à mes vieux jours?

OLIVIER

Tu vas passer chaque jour de ta vie à préparer le jour suivant, comme tout un chacun. Mais c'est pas une raison pour faire cette grimace-là. Rien n'est plus passionnant. Chaque jour tu pousses sur le temps un peu plus, un peu plus fort, pour voir, pour savoir ce qui se cache dans l'instant d'après. Tu cours, tu galopes, tu t'essouffles, puis tu t'arrêtes soudain pour regarder en arrière, et c'est là que tu t'attrapes la tête. Tout ça? que tu te dis, tant de chemin parcouru en si peu de temps? Tu veux revenir en arrière, repartir à zéro, mais... Une vie, mon garçon, une seule! C'est pourtant le plus beau cadeau de naissance que ta marraine-fée a déposé dans ton berceau.

NICOLAS

Vous parlez comme les prophètes de l'Ancien Testament, m'sieur Olivier: c'est beau, mais ça fait peur.

OLIVIER

Les prophètes avaient tous la langue fourchue et parlaient à double sens. Et puis c'était des vieux toqués de radoteux.

NICOLAS

Ma mère, certains jours, trouve que vous itou vous... elle trouve que vous... que nous écoutons trop les radotages de Margot la Folle.

OLIVIER

Tiens, tiens! elle continue à s'en prendre à Margot, ta mère. Faut point prêter attention à ces petites mesquineries de femmes, Nicolas. Deux commères sur une seule pointe...

NICOLAS

Si ma mère vous entendait la traiter de commère!

OLIVIER

Mais elle me traite bien de radoteux! Et puis

commère n'est pas un vilain mot, c'est le féminin de compère qui veut dire compagnon. Comme toi et moi.

NICOLAS

Ma mère et Margot seront jamais compagnonnes. Elles se haïssent.

OLIVIER

Pas compagnonnes, nigaud, compagnes. Et leur haine n'est au fond qu'une forme un peu aiguë de rivalité.

NICOLAS

Rivalité?

OLIVIER

Tu comprends, une pointe toute nue, au bout d'une île déserte, à l'embouchure d'un fleuve large comme un océan et qui baigne des terres envahies seulement d'oiseaux, d'ours et de baleines... Ça manque d'hommes ici et nos femmes s'énervent les soirs de pleine lune... À propos, les nuits seront noires encore un jour ou deux, nous faudra en profiter, mon adjudant.

NICOLAS, *qui salue*

À vos ordres, capitaine. La nuit qui vient, on s'attaque à la dune de l'est, en silence, chut! pas un mot, et sur le coup de minuit, premier coup de pioche. Combien de temps encore pensez-vous que nous faudra creuser avant de trouver un premier indice?

OLIVIER

Patience, jeune homme. Les premiers indices sont apparus il y a longtemps. On brûle. Tous les signes sont favorables. Il ne nous reste plus qu'à trouver...

NICOLAS

... notre premier coffre. Qu'est-ce qui vous a amené à y croire, Olivier? Quand c'est que vous avez commencé à creuser?

OLIVIER

Il y a tout juste cinquante ans. J'étais dans la jeune vingtaine quand j'ai débarqué dans l'île, ton âge. Mon bâtiment s'était fendu la proue sur les roches, au pied du Rocher-au-diable: là-bas. J'ai juste eu le temps de revoler par-dessus bord et de m'agripper à un tonneau... une sacrée goélette réduite en miettes en une nuit.

SCÈNE VI

On entre dans le flash-back. Nicolas assiste, de loin, assis sur les roches. Olivier enlève sa veste, met sa casquette à l'envers, joue au naufragé de vingt ans. Au début il prend Nicolas à témoin. Puis entre petit à petit dans le flash-back. Il se jette par terre, avance à plat ventre en s'accrochant aux roches, à bout de souffle. Il se redresse péniblement, cherche à se retrouver et appelle au secours. Bruit de tempête au large.

OLIVIER

Bon Dieu de bon Dieu de nuit infernale! Qu'est-ce que c'est que ce pays?... Y a quelqu'un? You-hou!... Bon, Olivier le marin, console-toi: t'es en vie toujours bien. D'autres ont été moins chanceux. (*Il se signe, face à la mer.*) Et que Dieu ait leur âme. Maintenant te faudra bien te débrouiller jusqu'au passage du prochain navire. Cherche-toi des crabes et des tortues, comme Robinson Crusoë. Et hisse le drapeau blanc. (*Il enlève sa chemise et l'attache au bout d'une perche. Puis il examine les lieux.*) Pas âme qui vive.

Apparaît Margot, plus jeune, et cependant éternellement la même.

MARGOT

Vous cherchez quelqu'un?

OLIVIER

Dieu soit loué! Une terre habitée. Mes hommages, Madame. Permettez que je me présente: Olivier Queffelec, de Saint-Brieuc, matelot de la défunte «Poule Blanche», fraîchement naufragé. Mon bateau a sombré corps et biens et je crains d'être...

MARGOT

... le seul survivant.

OLIVIER

C'est ça. Nous avons frappé un récif...

MARGOT

Celui du diable là-bas.

OLIVIER

En effet. Vous en avez été témoin?

Margot sourit énigmatiquement.

MARGOT

Vous êtes trempé. Je vais faire un feu. (*Elle s'exécute.*)

OLIVIER

Euh... vous ne m'avez pas dit votre nom...

MARGOT

Un nom qu'on retrouve un peu partout, dans toutes les langues: Margot.

OLIVIER

Tout à fait: Margot, Marguerite, Maggie, Griet... Et l'endroit? Comment se nomme ce pays?

MARGOT

Anticosti. À l'embouchure du continent. Bien des navires sont venus s'y échouer... et bien des pirates y enterrer leurs trésors.

OLIVIER

En somme, une terre de fléau pour les uns et de fortune pour les autres.

MARGOT, *qui rit*

Comme vous dites. Chacun en fait ce qu'il veut: son malheur ou son profit.

OLIVIER, *qui examine les lieux*

Un profit plutôt mince si mes yeux ne me trompent point.

MARGOT

Les yeux qui ne voient que la surface trompent toujours.

OLIVIER

Vous dites? (*Margot lui tend une orange.*) Merci. Voilà une orange qui est bienvenue. Mais où l'avez-vous trouvée?

Il commence à la peler.

MARGOT

Elle est venue par la mer, comme vous... Qu'est-ce que vous faites?

OLIVIER, *surpris*

Vous ne vous attendiez pas à me voir la manger sans la peler!

MARGOT

Des yeux capables de deviner l'orange sous sa pelure devraient de même soupçonner ce que cache la terre sous sa croûte...

OLIVIER, *hésitant, puis qui comprend*

Ce que cache la terre sous sa croûte... Voyons, Margot, vous n'allez pas me dire que je vais me faire chercheur de trésors dans une île déserte où je ne fais que passer entre deux navires.

Elle lui tend un pic.

MARGOT

Au cas où le temps traînerait entre les deux navires et que vous veniez à vous ennuyer. Avec un peu de chance, vous ne quitterez pas l'île les mains vides. Six générations de pirates sont passées par ici.

OLIVIER

Six générations? Et on n'a jamais rien trouvé?

MARGOT

Ça exige beaucoup de patience; et d'observer rigoureusement les rites.

OLIVIER

Les rites?

MARGOT

Vous piochez sur le coup de minuit, une nuit sans lune, en silence, à douze hommes.

OLIVIER

Douze hommes! mais je suis seul... Oh! pardon!

MARGOT

Douze. Vous devez être douze mâles. Quels sont vos autres noms?

OLIVIER

Mes noms? Je m'appelle Olivier...

MARGOT

Et puis?

OLIVIER

Et puis?

MARGOT

Encore?...

OLIVIER

Euh... Joseph, Joseph-Olivier... et Jean-Yves du nom de mon père...

MARGOT

Vous voilà déjà quatre.

OLIVIER, *amusé*

Quand j'étais petit, on m'avait surnommé le Songe-creux, ou encore Ti-Jean la lune.

MARGOT

Six.

OLIVIER

Plus tard, quand j'ai pris la mer, on m'a appelé le Navigueux au long cours...

MARGOT

Sept.

OLIVIER

... puis le Conteux, le Radoteux, le Faiseux d'histoires...

MARGOT

Dix

OLIVIER

Et moi-même, je me présente sous le nom complet d'Olivier Queffelec dit le Breton.

MARGOT

Et voilà vos douzes hommes, le compte est bon. Dans trois jours, la lune sera noire. L'île est à vous.

Elle s'en va. Il rit, amusé et séduit. La nuit tombe. Black-out. Ils arrivent tous les deux, dans la pénombre. Elle lui indique l'endroit, en silence. Il creuse. Il s'excite, vient de toucher quelque chose avec sa pelle. Au loin, la sirène d'un bateau. Il s'oublie et crie:

OLIVIER

Un navire! À moi! Je suis là! Au secours!

La lumière revient du coup.

MARGOT

Nigaud! Vous l'aviez à portée de pelle.

OLIVIER

Mais c'est un navire, ma chance de reprendre la mer, de retourner au pays!

MARGOT

Pauvre comme devant?

OLIVIER

Mais enfin... je suis ici un naufragé.

MARGOT

Naufragé du Destin qui vous a fait échouer en pays de cocagne.

OLIVIER, *sceptique*

Cocagne... plutôt dégarnie, votre cocagne... point de vigne, point d'arbres fruitiers, mais de la fougère, de la passe-pierre et des herbes salées...

MARGOT

Et ceci? (*Elle lui montre un caillou.*)

OLIVIER

C'est une agate?

MARGOT

Pauvre enfant! une agate! Apprends, mon garçon, à voir à travers l'écorce des choses. Ton œil est sale et embrouillé. Affile ton regard et tu perceras avec sa pointe le caillou le plus dur. Approche, viens voir de tout près... ton agate a des veines et lance des rayons de lumière...

OLIVIER, *qui s'approche*

Oh! ... on dirait qu'elle brille.

MARGOT

L'île est couverte d'une croûte ronde et dure qu'on appelle de la roche, pour tromper ceux qui ont la vision trop courte. Mais celui-là qui viendra un jour et qui aura le courage de planter son pic à travers, et de fouiller la terre en dessous... celui-là ne quittera point son exil guénilloux comme il est entré.

OLIVIER
Restez près de moi, Margot, et vous verrez, je serai cet homme courageux et déterminé.

MARGOT
La nuit approche... la lune est noire... tu es fort et intrépide, tu as douze hommes en toi... tu pioches en silence...

(*Elle l'entraîne. Nuit noire. On les entend chuchoter. Silence. Sirène de bateau au loin. Nouveau silence. Lumière. Les deux rient, débraillés, un peu ivres.*)

OLIVIER
Je n'ai pas crié. Pas un mot. Le bateau a filé et je n'ai pas appelé.
Il s'approche d'elle et cherche à l'étreindre.

MARGOT, *coquette*
Grand fou! Si tu penses trouver des trésors de cette manière-là!

OLIVIER
Et pourquoi pas? Il y a trésor et trésor, hi, hi, hi!

MARGOT
Dans ce cas, choisis. Un seul homme ne peut les avoir tous.

OLIVIER
Ah! non? Dommage! hi, hi, hi!

Elle l'entraîne. Nouveau black-out. Puis la lumière le ramène, seul, vieilli, à l'âge d'aujourd'hui. On sort du flash-back. Nicolas le rejoint.

SCÈNE VII

OLIVIER

Voilà comment j'ai laissé filer tous les navires qui m'appelaient au large. C'est que chacun surgissait à l'instant même où je brûlais, touchais presque au but. Je devais choisir entre le retour à mon ancienne vie, la vie ordinaire, quotidienne, la semaine des sept jours dont parle ta mère, et le huitième, le jour capable de m'enrichir d'un seul coup et me ramener milliardaire au pays. Disons, en d'autres termes, qu'on me poussait petit à petit à choisir entre Margot et Catherine, ta mère.

NICOLAS, *qui tombe des nues*

Ma mère! Vous voulez dire, M'sieur Olivier, que vous et ma mère... vous et Margot... quoi c'est que vous voulez dire, au juste exactement?

OLIVIER, *qui cherche à changer de sujet*

Au juste exactement! Qu'est-ce que cette façon de parler! Sors ton ardoise, fiston. Il est grand temps de reprendre la leçon de grammaire si on ne veut pas grandir dans l'ignorance plus crasse que les bécasses de l'île.

Il chausse ses lunettes.

NICOLAS

M'sieur Olivier!

OLIVIER

Ton ardoise, gamin. À l'école.

NICOLAS

Vos lunettes, M'sieur Olivier.

OLIVIER

Qu'est-ce qu'elles ont mes lunettes?

NICOLAS

Vous les aviez perdues, t'à l'heure.

OLIVIER

C'est bien vrai.

NICOLAS

Vous vouliez pas répondre à la lettre du gouvernement, c'est ben ça?

OLIVIER

Je voulais, je voulais pas... allez savoir ce qu'un vieil homme de mon âge peut encore vouloir! Je croyais vraiment les avoir égarées. Je pense bien qu'il vient un temps où la vie est la plus forte et commande à l'homme qui ne fait qu'obéir. Tu as besoin de lunettes, mon vieux? Fouille dans ta poche de veste, elles y sont. Mais elles n'y sont point quand il ne faut pas qu'elles y soient... Subjonctif présent.

NICOLAS

J'aimerais savoir ce qui se cache sous votre casquette, certains jours. Le phare, qui l'allume? C'est moi ou c'est pas moi?

OLIVIER, *un geste d'ignorance*

Ça...

NICOLAS

Qu'est-ce que ça veut dire, ça?

OLIVIER

Que ça ne dépend ni de toi, ni de moi, ni de ta mère.

NICOLAS

Ah! non? Mais de qui alors?

OLIVIER

Tiens bien ton ardoise. Et écris de la main droite, la gauche dans ta poche. (*Nicolas met la main gauche dans sa poche et échappe l'ardoise qui se casse.*) Crétin! Nous voilà bien avancés, maladroit. C'était ta dernière ardoise.

NICOLAS

C'est vous qui m'avez fait mettre ma main dans ma poche... Vous en faites pas, M'sieur Olivier, on va s'acheter des plumes et des cahiers avec mon émeraude.

OLIVIER

Petit vaurien! Comment penses-tu devenir gardien de phare sans instruction? Qui rédigera tes rapports au ministère...

NICOLAS

De qui ça dépend que je seye ou non le gardien?

OLIVIER

Pas seye, sois! Tu vas me réciter par cœur les conjugaisons d'avoir et d'être. Le subjonctif présent d'avoir, mon garçon. Plus vite que ça.

NICOLAS

J'ai...

OLIVIER

Que!

NICOLAS

Que j'aie, que tu aies, qu'il aie...

OLIVIER

Ait! ait, nigaud!

NICOLAS

Est... il est, tu es... De qui ça dépend que je seye ou non le gardien du phare?

OLIVIER

Du destin. C'est toujours lui qui a le dernier mot.

SCÈNE VIII

Surgit Margot en examinant une baguette de coudrier entre ses mains.

OLIVIER
En parlant du diable...

NICOLAS
... on lui voit les cornes.

OLIVIER
Salut, Margot! À quelle hauteur seront les marées dans les jours qui viennent?

MARGOT
Point de roulis dans les prochains jours, par rapport que point de marées sans lune.

OLIVIER
Point de lune?

MARGOT
La nuit qui vient sera noire comme une panthère dans une cave à charbon.
Nicolas rit.

NICOLAS
Je peux pas voir ce qu'une panthère irait faire dans une cave à charbon.

OLIVIER
Une nuit sans lune... Hé, Nicolas! Va ragorner tes outils. Ce soir, c'est notre soir. (*Il aperçoit la baguette dans les mains de Margot.*) Qu'est-ce que vous avez trouvé là, Margot?

MARGOT
Une branche.

OLIVIER
Une branche?...

MARGOT

De coudrier.

OLIVIER, *estomaqué*

Du coudrier? Mais il n'y a pas de coudrier par ici.

MARGOT

Il y en a dans l'Île-aux-Coudres. La mer se charge de ramasser les débris de branches et de racines qui se risquent trop proche de l'eau. Puis elle les charrie au loin, jusqu'aux côtes d'Anticosti. (*S'assombrit:*) Faut point se fier à la mer, la garce, qui charrie n'importe quoi.

OLIVIER, *qui joue à l'indifférent*

Dites-moi, Margot... une branche de coudrier... ça ne sert qu'à trouver des sources cachées sous la mousse... pas à autre chose...

MARGOT

Pas à autre chose... le coudrier sent l'eau, l'eau fraîche et vive...

OLIVIER

Ah bon!

MARGOT

Tout ce qui est eau... ou qui sort de l'eau.

OLIVIER

... Qui sort de l'eau? ... Comme ... des perles?

MARGOT

Des perles d'eau douce... ou certaines pierres des rivières...

OLIVIER, *qui rêve*

Les pierres du Rhin... Vous me prêteriez votre baguette, Margot, pour une nuit?

MARGOT

Prêter? Pour quoi faire?

OLIVIER
Comme ça ... pour voir ce qu'elle sait faire la nuit, votre baguette magique.

MARGOT
Pas magique pour une miette, pauvre homme. Le coudrier est un arbre, comme le chêne, le bouleau ou le cormier. Et les arbres ont des dons, comme les animaux ont des instincts. Le don du coudre c'est de renifler l'eau qui court sous la mousse ou sous la roche.

OLIVIER, *alléché*
Prêtez-moi votre baguette, Margot. Une seule nuit. Demain au petit jour je vous la rends, juré.

MARGOT
Non. Je ne suis pas prêteuse.

OLIVIER
Alors me la vendre?

MARGOT
Point marchande non plus.

OLIVIER
Et encore moins obligeante. Je ne vous ai jamais vue offrir gratuitement même votre monnaie de singe. Entre amis, pourtant, amis depuis cinquante ans... (*Margot sort de sa bourse ses dés qu'elle étale sur les roches. Olivier s'en aperçoit et comprend.*) Vous consentez à jouer votre branche de coudrier?

MARGOT
Contre quoi?

OLIVIER
Proposez toujours.

NICOLAS, *effrayé*
Attention! Olivier!

Margot a un geste brusque du côté de Nicolas, puis se radoucit pour l'amadouer.

MARGOT

Vous n'êtes pas bien riche, vieil homme.

OLIVIER

Et si je jouais le plus gros diamant du premier coffre...

NICOLAS

Pas le trésor, non!

MARGOT

Je veux le coffre.

OLIVIER, *abasourdi*

Le coffre entier?

MARGOT

Le coffre seulement. Je vous laisse son contenu.

NICOLAS

Acceptez, M'sieur Olivier.

OLIVIER

Mais un trésor sans son coffre...

NICOLAS

On s'en fabriquera un autre; ou on s'en achètera un superbe en laque plaqué or, avec la plus petite pierre du magot.

MARGOT

Tu joues, flandrin?

OLIVIER

Je joue. À nous deux, fripouille!

MARGOT

Canaille, à nous deux! (*Ils s'asseyent sur les roches en jouant aux dés sous les yeux de Nicolas qui traverse tous les états d'âme.*) Douze coups?

OLIVIER

Douze. Allez-y! Honneur aux dames.

MARGOT

Six et deux, huit.

OLIVIER

Quatre et... quatre, huit.

MARGOT

Deux et trois, cinq.

OLIVIER

Trois et quatre, sept... Inscris les points sur ton ardoise, Nicolas.

NICOLAS

Elle est cassée.

MARGOT

Cinq et deux, sept.

OLIVIER

Sur la roche, avec un galet pointu, vaurien... Six et trois, neuf. Vite, Nicolas.

Nicolas s'exécute avec son agate.

MARGOT

Le vieux craint pour sa mémoire?... Six et six, douze.

OLIVIER

Point avec ton émeraude, innocent. Quatre.

NICOLAS

C'est une agate, M'sieur Olivier. Et j'en ai des pleines bouteilles... Vous venez de tourner deux six, vous itou! Allez-y! Margot, huit + cinq + sept + douze égalent... égalent...

MARGOT

Trente-deux. Et voilà cinq et six de plus! Quarante-trois.

OLIVIER

Et douze pour moi!... Combien Nicolas?

NICOLAS

Huit + sept + neuf + quatre + douze égalent...

OLIVIER

Quarante.

NICOLAS

Quarante à quarante-trois. Vous brûlez, Monsieur! Il vous reste encore... un, deux, trois, quatre, cinq, six... sept coups. Lâchez pas!

MARGOT

Cinq.

OLIVIER

Merde! deux. La plus petite mise des dés.

MARGOT

Sept.

OLIVIER

Encore deux ! Quel est le compte, Nicolas?

NICOLAS

Mauvais, maître...

MARGOT

Quarante-quatre à cinquante-cinq ... plus huit. À vous de jouer.

OLIVIER

Huit. Le compte reste le même.

On joue de plus en plus lentement, de plus en plus engagé.

MARGOT

Six.

OLIVIER

Dix!

MARGOT

Cinq.

OLIVIER

Onze!

NICOLAS

Vous brûlez! vous brûlez, Olivier!

MARGOT

Six et trois ... neuf.

OLIVIER

Cinq et cinq ... dix!

NICOLAS

Égalité! Quatre-vingt-trois chacun... Il vous reste un coup... le dernier...

MARGOT

Onze.

Nicolas ouvre de grands yeux en voyant Olivier tricher pendant que Margot regarde ailleurs.

OLIVIER

Douze! Je l'ai! La baguette de coudre est à moi!

MARGOT

Quatre-vingt-quinze! Il a même pas été capable de se rendre jusqu'à cent.

Elle lui cède la branche.

OLIVIER

Merci. Et bravo quand même, vous me talonniez de près. À ce soir, Nicolas. Nuit sans lune... en silence... la côte sud... (*À Margot:*) Et souvenez-vous que je garde le coffre.

Il sort.

SCÈNE IX

Margot aperçoit la tristesse de Nicolas.

MARGOT

Mais quelle sorte de face longue qui s'allonge de ton toupet à ton menton! Il a gagné, ton radoteux de vieil ami. T'es pas content? Avec sa baguette de coudrier, crois-moi, il a de quoi se tenir éveillé durant une beauté de nuits noires. Voyons! Qu'est-ce qui te tracasse? Ça serait-i' rendu que même les trésors fabuleux suffisent plus à tenter les jeunesses d'aujourd'hui? Hein? Qu'est-ce qui va pas?

NICOLAS

Rien... rien...

MARGOT

Rien... bon, parfait. (*Elle ramasse les dés et les jette de nouveau.*) Tu sais jouer? (*Il fait signe que non.*) Tu veux apprendre?

NICOLAS

Ça a point l'air malaisé.

MARGOT

Ah bon? Vas-y.

NICOLAS

Tout ce que ça prend, c'est faire rouler deux petits dés sur une roche plate. C'est le sort qui travaille.

MARGOT

Et le sort, d'où c'est qu'il sort à ton dire?

NICOLAS

Point de la roche... ni de moi.

MARGOT

Alors, où c'est qu'il se cache?

NICOLAS
Je sais-t-i', moi? Dans les dés?

MARGOT
Tu brûles.

NICOLAS
Je sais pas.

MARGOT
Le sort se tient exactement au mitan du triangle entre tes mains, la roche et les dés. Regarde. (*Elle jette.*) Ma main s'ouvre et laisse tomber sur la roche deux dés qui roulent, se balancent, et finissent par s'arrêter sur des nombres que les dés, la roche et toi vous avez choisis ensemble, secrètement... comme ça. Tu vois? Ta main y est pour au moins le tiers du résultat.

NICOLAS
Je vous crois pas.

MARGOT
Alors surveille bien. À chaque trois coups, je gagne. Donne-moi un nombre.

NICOLAS
Sept.

MARGOT, *qui joue trois fois*
Six ... huit... sept! Le hasard joue jamais tout seul; il joue avec toi. Apprends à le connaître et à l'avoir de ton bord.

NICOLAS
Ça veut dire quoi? Tricher?

MARGOT, *sceptique*
Tu sais... tricher avec le sort...

NICOLAS
Olivier a triché tantôt, je l'ai vu.

MARGOT

Moi aussi.

NICOLAS

Vous l'avez vu? et vous avez rien dit?

MARGOT

Mais les dés aussi trichent... en roulant une fois de plus, une fois de moins; et la roche triche... en penchant un petit brin plus à gauche ou à droite; alors ta main là-dedans... Celui-là qui réussit à tromper le sort est plus fort que son propre destin.

NICOLAS

Mais Olivier, c'est pas le destin qu'il a trompé, c'est vous, Margot.

MARGOT

C'est moi, Margot... Et tu penses que Margot voulait pas qu'il gagne, le pauvre vieux? Comment elle l'aurait gardé dans l'île durant un demi-siècle sans le laisser gagner deux fois sur trois?

NICOLAS

Et pourquoi vous vouliez tant le garder? Pour lui, Anticosti, c'était l'exil, l'endroit du naufrage.

MARGOT

Il a lui-même choisi cet endroit. Et puis t'apprendras bien vite que l'exil, ça existe pas.

NICOLAS

Qu'est-ce que vous dites là?

MARGOT

L'exil est nulle part, puisqu'il est partout. Montremoi donc où est l'air du temps.

NICOLAS

Mais... là... là... là...

MARGOT
Pointe-le exactement.

NICOLAS
Je peux pas, y en a partout.

MARGOT, *qui rit*
Et le centre du monde, où est-il?

NICOLAS
Euh... euh...

MARGOT
Nulle part et partout. L'exilé est en exil s'il a pas les deux pieds au centre du monde. Tout le monde est donc exilé... hormis celui-là qui a décidé que là où il a les pieds, là est le centre du monde.

NICOLAS
Vous êtes forte, Margot. Et ma mère qui vous traite de folle enragée.

MARGOT
Ta mère... Avec sa semaine de lavage, repassage, ménage, cuisinage! et à plein temps dans l'élevage d'un fils qui passe vingt ans et qui aurait grande envie de s'élever tout seul... Avoue-le que certains jours t'aurais le goût de partir découvrir dans quelle étoffe fut taillée cette vie où tu respires...

NICOLAS
Oh! oui...

MARGOT, *mystérieuse*
Renifler l'envers du monde, de l'autre côté de l'horizon.

NICOLAS
Point de l'autre côté, juste un petit brin dépassé...

MARGOT

Le bout, le fin bout... sans avoir à bouger d'un pas.

NICOLAS

Comment ça, Margot?

MARGOT

Du haut de la tour. Tu as juste à promener ta lumière au loin, et tu regardes, et tu fixes, et tu finis par percer l'écorce même du firmament.

NICOLAS

Vous parlez comme Olivier... encore plus joliment.

MARGOT

Tu n'as qu'une vie, Nicolas, une courte vie...

NICOLAS

Oh! non, la mienne sera longue. Et pis je viens quasiment juste de la commencer... Pas tout à fait, parce que je me souviens que je disais la même chose à dix ans, pis à six. Il me semble que ma vie vient tout le temps juste de commencer. Il me semble qu'a' finira jamais. Chaque fois que j'y pense, je me sens repartir au commencement et je me dis: je vas faire ça, pis ça, pis ça... j'ai peur de manquer de temps pour tout faire, que ça me prendrait plusieurs vies... C'est peut-être pour ça que j'ai besoin de voir le monde du haut de la tour... pour me faire accroire que le monde m'appartient. Quand je regarde les étoiles...

MARGOT

Vingt ans, cent ans, c'est tout pareil face aux étoiles.

NICOLAS

Je voudrais tellement devenir savant comme Olivier l'Ancien... pour comprendre tout ce que vous dites.

48

MARGOT

Joue, c'est à ton tour.

NICOLAS

J'ai pas grand-chose... une agate...

MARGOT

Joue ton agate... Vas-y, vas-y, c'est rien que le premier coup de dé qui coûte.

NICOLAS, *qui joue*

Trois coups, pas plus... Six et deux, huit.

MARGOT

Sept et deux, neuf.

NICOLAS

Dix !

MARGOT

Dix.

NICOLAS

Trois.

MARGOT

Sept. Ton agate, mon garçon.

NICOLAS

Je vas tout perdre avec vous. Je suis rien qu'un apprenti.

MARGOT

Un apprenti c'est fait pour apprendre. Joue tes chaussures.

NICOLAS

Mais... et vous?

MARGOT

Qu'est-ce que tu veux? Choisis.

NICOLAS

Quoi c'est que vous avez?

MARGOT

Quoi c'est que tu veux le plusse?

NICOLAS

Droite asteur? Je voudrais grimper dans le phare...

MARGOT

Jouons le phare.

NICOLAS

Vous êtes pas sérieuse?

MARGOT

Tu veux savoir si oui ou non tu seras un jour gardien? (*Il fait signe que oui.*) Joue. Tes chaussures contre le phare.

NICOLAS

Trois coups, pas plusse.

MARGOT

Pas plusse.

NICOLAS

Cinq.

MARGOT

Six.

NICOLAS

Sept.

MARGOT

Six.

NICOLAS

Six.

MARGOT

Sept... Tes chaussures.

NICOLAS, *se déchausse*

Mon casque.
On joue de plus en plus vite.

MARGOT

Huit.

NICOLAS

Dix!

MARGOT

Cinq.

NICOLAS

Sept!

MARGOT

Sept.

NICOLAS

Deux... (*Donne sa casquette.*) Ma chemise! Trois.

MARGOT

Cinq.

NICOLAS

Onze!

MARGOT

Dix.

NICOLAS

Six.

MARGOT

Huit.
Il lui donne sa chemise.

NICOLAS

J'arrête... je finirai tout nu.

MARGOT

Lâche! C'est sûr qu'à jouer de même tu finiras tout nu, sur la paille. Approche, donne-moi ta main. (*Elle se fait caressante et tendre avec lui, prétextant lui lire les lignes de la main:*) Tu le veux vraiment, ton phare? Hein? Tu veux pouvoir y grimper chaque soir et lire dans les étoiles ta propre destinée? Y a le Grand Chariot qui t'amène jusqu'à la Voie lactée où tu trottes en saluant Orion, le Taureau, Cassiopée, plus loin jusqu'au Cygne et l'Aigle...

NICOLAS

Je veux voir le large du large, les pays et les villes que m'a racontés Olivier, rencontrer du monde... des filles... vivre dans beaucoup d'endroits en même temps, sans jamais quitter l'île, comme Olivier l'Ancien.

MARGOT, *chatte*

Laisse-moi faire, et tu la quitteras jamais ton île.

NICOLAS

On dirait que vous êtes la seule, Margot la F...

MARGOT

... Margot la Folle...

NICOLAS

... la seule qui comprenez ce que je veux.

MARGOT

Joue un dernier coup, un seul, mais sois plus fort que le sort, maîtrise les dés.

NICOLAS

Je joue mon... ma...

MARGOT

Joue les bretelles qui tiennent tes culottes.

NICOLAS

Un seul coup... Douze!

*On l'a vu tricher. Margot en fait autant pour le
laisser gagner.*

MARGOT

Sept.

NICOLAS

J'ai gagné! le phare est à moi! le sort l'a décidé!

MARGOT

Il te reste plus qu'à décider ta mère.

NICOLAS, *excité*

M'sieur Olivier! Olivier l'Ancien! (*Il part à la
recherche d'Olivier.*)

MARGOT

Il te restait plus rien qu'à jouer ta vie, bel enfant.

SCÈNE X

*Les cris de Nicolas ont attiré Catherine qui s'amè-
ne, poêlon en main, et qui aperçoit Margot. Affron-
tement entre les deux femmes.*

CATHERINE

Quoi c'est que le hourvari? Ah! c'est toi, la Folle.
J'aurais dû me douter. Quand il y a du tintamarre sur
les roches...

MARGOT

C'est mieux que du barda dans une cuisine.

CATHERINE

Qu'est-ce que t'en sais, vaurienne? Y as-tu déjà
mis les pieds dans une cuisine de logis, toi qui dors
sous la Grande Ourse et fais tes besoins à la belle
étoile?

MARGOT

Des besoins qui déborderaient de ton pissepot,

pie-grièche, avec tout ce que j'ai dans les tripes et que je chie dans ton devanteau.

CATHERINE

Et moi je crache sur ta tête ébouriffée où les guêpes et les abeilles font leurs nids.

MARGOT

Les abeilles font du miel; on peut pas en dire autant de tes moules et de ton hareng sec.

CATHERINE

Du hareng et des moules qui ont nourri des hommes et fait vivre une famille. On peut pas en dire autant de Margot la sauvage et solitaire.

MARGOT

Solitaire de jour. Mais les nuits sont longues et nombreuses dans les pays de solitude.

CATHERINE, *piquée au vif*

Vaurienne! Catin! Les hommes de l'île t'appartiennent pas, la Folle. Quand on a renoncé à rentrer en ménage...

MARGOT

Ménage!... le mot fétiche de la veuve des Atras.

CATHERINE

Ne touche pas aux Atras, Margot. Ceux-là au moins seront jamais ta pâture.

MARGOT, *sourit*

Heh!

CATHERINE

Contente-toi des matelots de passage, fille de rien. Mais les hommes qui restent et font souche dans l'île ne sont pas pour toi.

MARGOT

Jalouse!

CATHERINE

Jalouse de ce qui m'appartient.

MARGOT

Personne n'appartient à la veuve des Atras. Chacun suit son destin.

CATHERINE

Le destin! Jamais! C'est lui l'ennemi des Atras. J'y ferai face, moi seule. J'empêcherai le destin des Atras de s'emparer de mon garçon. Et toi, Margot, tu viendras point te mettre en travers de mon chemin, ça s'adonne.

Catherine veut partir, mais Margot se met précisément en travers de son chemin. Bataille. Catherine l'attaque à coups de poêlon; Margot ramasse le filet de pêche. Combat de gladiateurs romains.

CATHERINE

Vaurienne! Putain!

MARGOT

Femme en ménage avec sa semaine de six jours! Tu n'enfermeras pas ton fils dans cette prison.

CATHERINE

Je l'enfermerai! Je le soustrairai malgré lui à sa mauvaise étoile. Je briserai le cercle infernal qui a fait périr tous les siens.

MARGOT

Personne est plus fort que le Destin.

CATHERINE

Personne sauf Catherine, mère du dernier des Atras. Je le sauverai malgré lui, malgré le sort qui lui pend sur la tête.

MARGOT

Tu gagneras pas, bonne femme Catherine!

CATHERINE

Je gagnerai, Margot la Folle! Ce fils est à moi.

MARGOT

Personne est à personne pour bien longtemps. Et chacun finit un jour ou l'autre par tomber dans le filet de... *(Elle lance son filet et capture Catherine qui s'y enfarge et crie. Margot s'éloigne en riant:)* Déprends-toi de ce pétrin-là si tu peux. Et bon appétit au pêcheur qui ramassera ton filet.

Elle disparaît. Catherine se débat.

CATHERINE

Sois maudite, Margot la Folle! À moi! Au secours!

SCÈNE XI

Entre Olivier, attiré par les cris, et qui cherche Catherine, feignant de ne pas la voir. Il va vers la maison, revient, s'approche même du filet, jouant à ne pas comprendre.

OLIVIER

Où diable est-elle allée se fourrer? Catherine! Catherine, ma Catherine, où es-tu?

CATHERINE, *dans son filet*

Sous tes yeux, nigaud.

OLIVIER

Où ça?... Mais qu'est-ce que tu as attrapé dans ton filet?

CATHERINE

Mon ombre, comme tu vois.

OLIVIER

Comment? C'est toi, ma bonne Catherine? Mais peux-tu me dire...

CATHERINE

Je peux tout te dire. Commence seulement par me sortir de ce pétrin et je promets de t'en dire plusse que tu aimeras entendre.

OLIVIER

Pauvre femme! Tu travailles trop. À force de tresser des filets, on finit par s'y prendre. Comme une araignée qui tisse sa toile...

CATHERINE

Quand t'auras fini de raisonner, le savant, tu pourras peut-être essayer de me déprendre sans briser les mailles. C'est un filet tout neuf achevé d'hier.

OLIVIER

Bien sûr, ma belle. Mais je comprends pas comment tu es parvenue à t'enrouler ainsi, pauvre chérie.

CATHERINE

Garde tes mots doux pour ta Margot, beau jars, et viens pas essayer de m'amounêter.

OLIVIER

Tiens! C'est un mot très ancien, ça. Quand Catherine se fâche, elle remonte infailliblement à son plus lointain passé.

CATHERINE

D'abord je vous ferai remarquer, vieil homme, que mon passé n'est pas si lointain.

OLIVIER, *examinant le filet*

Ma foi, faut avouer que voilà du beau travail. Est-ce là la maille qu'on nomme point de chenille?

CATHERINE

Je vous en ferai, des chenilles!

OLIVIER

Au vieux pays, les vieilles avaient la réputation de faire le plus merveilleux point d'Alençon...

CATHERINE

Les vieilles!... encore!... Et vous croyez qu'elle est plus jeune que moi, votre Margot?

OLIVIER

Voyons, Catherine. Margot et moi, nous ne sommes que de vieux compères de... de...

CATHERINE

De?...

OLIVIER

D'aventure. Elle m'enseigne à trouver les trésors enfouis...

CATHERINE

À chercher, peut-être; à trouver, non. (*Adoucie:*) Cinquante ans, ça t'a pas suffi, pauvre ami, pour comprendre la vraie nature de cette femme de rien, qui te fait miroiter des rêves inaccessibles? Elle est néfaste, Margot, et dangereuse. Une plaie dans l'île. Je sais pas comment ni pourquoi, mais je le sais, je le sens. Je parviens pas à comprendre quel genre d'attrait peut avoir une telle garce sur un homme de ta... ta qualité.

OLIVIER, *tendre et enjoué*

Ça serait donc dire qu'on me trouve encore quelque qualité? (*Il s'approche d'elle. Elle le repousse.*)

CATHERINE

C'est ça, profite que la bête est prise au piège pour t'en rendre maître.

OLIVIER

Je voulais seulement t'aider à te dégager. Comment le diable as-tu réussi à t'enrouler comme ça?

CATHERINE

Le diable, tu l'as dit. C'est le diable qui m'a jeté un sort. Une diablesse en tignasse blonde avec de grands yeux de chatte en chaleur...

OLIVIER

Margot?

CATHERINE, *furieuse*

Tu vois? Tu l'as reconnue tout de suite à ses yeux de chatte. Va-t-en, traître, approche-moi pas!

OLIVIER

Bon, bon. Tantôt on m'appelle au secours, tantôt on me chasse, tambour battant.

CATHERINE

Va retrouver ta garce qui finira par t'attraper, à ton tour.

Olivier, tout en essayant de la dégager, la caresse et se fait tendre.

OLIVIER

Tu sais bien, Catherine, ma bonne Catho, que Margot n'a aucune place dans mon cœur... seulement dans ...

CATHERINE

Seulement dans quoi?

OLIVIER

... dans mes voyages parmi les étoiles, la nuit, entre le Chariot, la Grande Ourse, le long du Chemin Saint-Jacques... Elle m'instruit sur les mystères cachés derrière l'horizon, au-delà du temps qui nous fouette et nous pousse vers l'inconnu... Margot, c'est... c'est l'envers du visible et des sept jours de la semaine.

CATHERINE, *adoucie*

Mais c'est pourtant là-dedans que tu bouges et respires, dans les sept jours de la semaine. La vie, mon vieux, c'est tout ça que tu vois, et sens, et touches...

OLIVIER, *qui l'enlace*

Et c'est si bon de toucher!

CATHERINE, *qui se laisse faire*
Hi, hi! arrête, grand fou!

SCÈNE XII

Arrive Nicolas en courant, qui s'arrête brusquement en surprenant la scène.

NICOLAS
Quoi c'est qui se passe?
Catherine, gênée, se dégage aussitôt.

CATHERINE
Nicolas, grand flandrin, amène-toi, et viens me sortir de là.

NICOLAS
Quoi c'est qu'a arrivé, m'man? Qui c'est qui t'a amanchée de même?

CATHERINE
Aide-moi en premier; tu poseras tes questions après.

OLIVIER, *qui examine le filet*
Ma foi, c'est du beau travail, faut le reconnaître. Au pays, les vieilles tissaient de même le plus merveilleux point d'Alençon.

CATHERINE
Ah! et pis merde! (*Elle déchire le filet et s'en dégage. Elle se redresse et s'époussette.*) Attendez que je lui mette la main au collet, à la folle, elle aura un chien de ma chienne, la vaurienne de Margot!

NICOLAS
Margot? Mais qu'est-ce qu'elle a fait, Margot?

CATHERINE

Elle est notre malédiction à tous. Regardez l'état de nos côtes. Une terre pas finie. Pourriture.

OLIVIER

Oh! faudrait quand même pas accuser une seule femme pour toute la pourriture du monde.

CATHERINE

Depuis qu'elle a débarqué au pays, celle-là...

NICOLAS

Je croyais que tu m'avais dit qu'elle était arrivée dans l'île avant tout le monde?

OLIVIER

Avant moi, en tout cas.

CATHERINE

C'est pour ça que l'île est sens dessus dessous.

NICOLAS

Voyons, m'man. T'es sortie du lit du mauvais bord à matin.

OLIVIER

Les crabes sortent toujours de leurs filets en marchant de travers.

CATHERINE

Un jour vous marcherez tous de travers et la tête en bas; et si vous vous laissez faire, vous mangerez les pissenlits par la racine.

OLIVIER

C'est le destin de tout un chacun d'aller finir ses jours sous terre.

CATHERINE

Mais pas avant son heure.

NICOLAS

Personne veut crever avant son heure, m'man. Mais c'est pas une raison pour enfermer sa vie dans un coffre, à l'abri de la grêle et de l'air du temps.

CATHERINE

Point à l'abri de l'air du temps, nigaud; à l'abri des fléaux de la terre.

OLIVIER

Les fléaux... peut-être bien... à mon dire...

CATHERINE

Vous, taisez-vous! (*Silence. Malaise.*) ... Quoi c'est que vous avez à dire, à votre dire? Crachez-le.

OLIVIER

À mon dire... (*il examine le temps*) ... les goéliches du printemps sont déjà rendues quasiment goélands.

CATHERINE

C'est bien de la crache pour des oiseaux de mer.

NICOLAS

Je comprends pas pourquoi une personne devrait passer sa vie à esquiver sa mort.

CATHERINE

Tu comprends pas parce que t'es aveugle et ignorant.

NICOLAS, *qui se rebiffe*

Ben qui c'est qui m'a instruit pis élevé?

CATHERINE, *piquée*

Comme ça, ce que j'ai fait pour toi t'a point suffi. Tout le jour à te vêtir et te nourrir et te décrasser, et la nuit à te garder contre le mauvais œil des ombres qui s'acharnent contre les vivants. Tout ça, c'est trop pesant pour toi; tu veux ta liberté pour te jeter tout à ton aise en bas du cap.

NICOLAS

À t'entendre on croirait que la vie m'a été don-
née uniquement pour que j'apprenis à la perdre.

OLIVIER

Tiens! pas mal comme formule... dommage qu'il
sache pas maîtriser ses subjonctifs.

CATHERINE

Tu comprends pas, innocent, que c'est ta vie au
contraire qu'est en jeu! que le plus sûr moyen de la
perdre, c'est de te laisser à ta destinée qui... qui...

NICOLAS

Qu'est-ce qu'elle a ma destinée? Le phare est
mon héritage de père en fils: c'est ça mon destin,
c'est ça ma vie. C'est un bien de famille et j'y ai droit.
Rends-moi la clef, m'man. Laisse-moi vivre.

CATHERINE

Jamais!

NICOLAS

J'aurai point droit à ma vie?

CATHERINE

Pas à celle-là.

NICOLAS

En plusse de mon héritage, le phare me revient
directement du ministère des Transports... Il m'appartient.

CATHERINE

Pas avant trente jours. T'as trente jours pour le
refuser.

NICOLAS

Je le refuserai pas.

CATHERINE

Si fait, tu le refuseras.

OLIVIER
Le plus beau phare octogonal de tout l'est du pays, ça serait point de refus.

CATHERINE
Vous, mêlez-vous de vos oignons.

OLIVIER
Pas beaucoup d'oignons dans l'île.

NICOLAS
Trente jours, c'est long sans lumière pour guider le trafic en mer. Il pourrait arriver des accidents et ça serait moi le responsable.

CATHERINE
Depuis quand c'est qu'un homme est responsable de sa naissance? C'est-i' de ta faute si t'es venu au monde dans la cabane des Atras?

NICOLAS
Ben.. faut ben que ça seye la faute de quelqu'un.

OLIVIER
Soit, mon enfant, soit, pas seye...

CATHERINE
Pas de la mienne, en tout cas, j'ai tout fait pour empêcher ça. Je l'ai dit à ton père ce soir-là: c'te nuit, laisse-moi tranquille, c'est dangereux, la lune est pleine et... ben aller parler de la lune à un taureau en rut! Autant parler de carême à Monsieur Mardi-Gras. Et v'là le résultat.

NICOLAS
Comme ça, j'étais point voulu.

CATHERINE
Si fait, si fait, grand bêta. Une fois là, t'étais voulu comme c'ti-là qu'est né dans la crèche de Bethléem. Aussi voulu et condamné que lui. Mais la Catherine

des Atras était point au Golgotha, y a deux mille ans, pour empêcher les Juifs de le mettre en croix. Aujourd'hui, elle est debout sur la Pointe-à-Margot d'Anticosti, et laissera ni juif, ni païen, ni chrétien crucifier son garçon.

NICOLAS

Crucifier!

CATHERINE

Pendre ou neyer, c'est tout pareil.

OLIVIER

Il doit pourtant exister une troisième voie.

CATHERINE

Ah! parce que neyé ou pendu, ça vous suffit pas?

OLIVIER

La troisième solution: Le salut ne viendra ni du ciel où il veut grimper, ni de la terre où vous voulez le retenir. Il doit venir d'ailleurs.

NICOLAS

Le phare de la Pointe-à-Margot d'Anticosti est la première lumière qu'aperçoivent les navires en entrant dans les terres du pays, vous vous rendez compte? Le gardien de ce phare-là se trouve comme le portier du continent. Et c'est de ça qu'on veut me priver? Portier du Saint-Laurent! C'est pas beau ça?

OLIVIER

C'est beau, c'est grandiose...

CATHERINE

C'est épouvantable... Tu te souviens de la mort de ton grand-père?

NICOLAS

J'étais pas né.

CATHERINE

Moi je m'en souviens; comme si je l'avais vue. Pourtant elle m'a juste été rapportée. Mais j'ai vu mourir tes oncles, ton père... tous les Atras... Pourquoi on m'a demandé à moi, Catherine, de voir périr une race sans pouvoir rien contre ça? Chaque fois je suis arrivée trop tard; chaque fois la vie m'a glissé entre les doigts. J'ai eu beau crier, et me débattre, et me démener... j'ai senti une aile me frôler et... c'était fini. Une vie, une autre, filait et allait s'éteindre quelque part en mer ou sur les roches. C'est assez! je laisserai point l'île, ni le logis des Atras se vider de son dernier rejeton. Nenni! Toi, Nicolas, tu vivras. Tu deviendras un homme. Tu sauveras le lignage des Atras, tu m'entends?

SCÈNE XIII

Arrive un naufragé en lambeaux, dégoulinant, rampant, qui se dresse devant les trois autres comme pour réclamer du secours, puis s'effondre à leurs pieds. Les trois autres sont d'abord sidérés, puis accourent.

CATHERINE

Jésus-Maria! quoi c'est que l'apparition?

NICOLAS

Un naufragé! Je l'avais prédit!
Olivier se détache d'eux et va examiner la mer.

OLIVIER

En effet. Il vient de la mer. Regardez les épaves qui flottent.

NICOLAS

Un naufrage... la nuit sans lune... point éclairée...

CATHERINE

C'est point le temps de gémir sur les méfaits de la nuit. Aidez-moi à lui ramener son respire.

Nicolas lui donne la respiration artificielle par le massage.

OLIVIER

C'est ça, Nicolas, pompe, ne t'arrête pas.

CATHERINE

Pauvre esclave du bon Dieu! Et jeune par-dessus le marché, et pas mal tourné.

OLIVIER

Pompe, Nicolas!

NICOLAS

C'est ma faute! c'est la faute à la nuit noire... au phare qui éclaire plus la mer... c'est ma faute...

CATHERINE

Le phare a rien eu à voir là-dedans. C'est la mer qui nous l'a garroché... la mer qui nous l'a... (*Elle s'arrête, jette un œil au phare et sourit d'un air énigmatique et pourtant entendu — on doit sentir son intention cachée:*) C'est la mer qui nous l'envoie. (*Puis, décidée:*) On va te ravigoter, mon garçon.

Nuit complète. Scène de pietà. Le naufragé revient lentement à la vie. Apparaît Margot en furie.

— RIDEAU —

DEUXIÈME ACTE

En une journée et une nuit, trente jours plus tard.

SCÈNE I
Jour. Sur les roches, face à la mer. Catherine enlève à Jolicœur les éclisses et bandages autour de ses bras et jambes, sous les yeux à la fois anxieux et joyeux de Nicolas et Olivier.

JOLICŒUR
Aïe! tout doux, tout doux!

CATHERINE
Allons, viens pas faire le douillet, Christophe Colomb.

JOLICŒUR
Jolicœur de son petit nom.

CATHERINE
Depuis qu'y a plus d'Amérique à découvrir...

JOLICŒUR
Faut bien se rabattre sur Anticosti.

NICOLAS
C't'île-là, tu l'as point cherchée.

JOLICŒUR

J'ai frappé dedans les yeux fermés.

OLIVIER

La prochaine fois, faudrait ouvrir l'œil, la nuit, en naviguant.

NICOLAS

Comment vouliez-vous! Un rocher sans lumière, sans phare... une nuit sans lune...

CATHERINE

Lève-toi pis marche, Lazare arraché au tombeau!

Jolicœur se lève, fait bouger ses membres, grimace, puis s'aperçoit qu'il boite.

NICOLAS

Il boite, m'man!

CATHERINE

Eh! oui, il boite. Mais on n'est pas à Saint-Jacques-de-Compostelle ici. Et pis il est en vie, c'est déjà ça.

JOLICŒUR

C'est plus qu'on pouvait en attendre d'un revenant de l'Au-Delà.

OLIVIER

Vous nous avez toujours bien jamais révélé votre pays d'origine, ni votre vrai nom.

JOLICŒUR

Un marin reçoit son nom avec son baptême de mer. Et il a autant de pays qu'en baignent les océans.

CATHERINE

Comment vont les bras? Fais voir.

JOLICŒUR

Vivant! Ya-hou! (*Il saute sur Catherine et l'embrasse. Elle se dégage et rit.*)

70

CATHERINE

Un matelot, un vrai, pas de soin!

OLIVIER

Guéri.

JOLICŒUR

Vous m'aviez pas dit de faire jouer les bras?

CATHERINE

Bien rétabli. Hormis le petit boitillement. Mais ça ajoute à la personnalité. Je t'avais promis de te remettre sur pieds. En trente jours, c'est pas si mal.

JOLICŒUR

Trente jours? J'ai rien vu passer.

NICOLAS

C'est parce que t'en as passé la moitié sans connaissance.

OLIVIER

Et l'autre moitié sur le grabat.

JOLICŒUR

Pas tout à fait. Ces derniers temps, j'ai fait le tour de la Pointe, longé la côte jusqu'au port... Y a justement un bâtiment espagnol qui appareille demain. J'ai pu parler à son capitaine.

Tous figent, contrariés.

NICOLAS

Comment t'as pu parler à un capitaine espagnol?

JOLICŒUR

Je lui ai dit, comme ça: «Señor Capitan, no tendria usted un lugarcito a bordo para un pobre marinero ansioso de rehacerse a la mar?»

CATHERINE

Quoi c'est que le charabia?

71

NICOLAS

Du charabia espagnol. Un marin, ça parle bien des langues.

CATHERINE

Et vous, Olivier?

OLIVIER

Euh... je parlais breton et ... français.

NICOLAS

Qu'est-ce que t'as dit au capitaine?

JOLICŒUR

Je lui ai demandé de m'emmener.

CATHERINE

Pourquoi faire? On est pas bien ici?

JOLICŒUR

Oh! oui, mais la vie d'un matelot est au large. Les îles, c'est pour les escales; pour se refaire les membres... et des souvenirs.

OLIVIER

C'est dommage, Jolicœur. La lune sera noire encore la nuit prochaine. Un beau soir pour aller creuser. On ne sait jamais, ça pourrait être notre nuit de chance. Tous les signes sont favorables.

NICOLAS

Mais il a pas dit qu'il partait tout de suite. Et puis t'as même pas achevé de nous conter ta dernière aventure, Jolicœur. Quoi c'est qu'a arrivé quand les Pygmées t'ont lâché quasiment sous les pattes d'une lionne affamée?

JOLICŒUR

J'ai fixé la lionne entre les deux yeux, j'ai dit mon bénédicité, et puis la lionne m'a mangé.

NICOLAS, *qui rit*

Grand fou! Raconte-moi donc quelque chose de vrai pour un change.

JOLICŒUR

Tout est vrai et rien n'est vrai au grand large. La mer... c'est une boule de cristal qui te montre ta vie d'un seul coup: le passé, l'avenir...

NICOLAS

La mer pourrait me montrer mon avenir? Jésus-Maria! Qu'est-ce que tu penses que je trouverais, moi, au large? Y a de quoi pour moi là-bas?

CATHERINE, *mine de rien*

T'as jamais songé à t'établir un jour, Jolicœur?

JOLICŒUR

Un jour, sur mes vieux jours. Quand j'aurai trouvé bon port.

CATHERINE

Et un phare comme celui-là, ça serait-i' ce que t'appellerais un bon port?

JOLICŒUR

Un phare comme ça, c'est le havre de grâce, le rêve!

CATHERINE

Eh! bien, prends-le, il est à toi.

Olivier et Nicolas réagissent.

JOLICŒUR, *incrédule*

Je veux bien d'un bon havre, Mame Catherine, mais pas sur le territoire des autres. Ça c'est le phare de Nicolas.

CATHERINE

Nicolas en veut pas. Olivier se prépare justement à écrire à ces messieurs du ministère des Transports pour leur donner notre réponse : les Atras renoncent au phare.

Réaction d'Olivier et de Nicolas.

JOLICŒUR
Pas possible ! Et pourquoi ?

NICOLAS
M'man !...

CATHERINE
Pour cause d'incompétence.

NICOLAS
Quoi ?

JOLICŒUR
Voyons, Mame Catherine.

OLIVIER
J'aurai tout entendu !

CATHERINE
Pour déficience mentale.

OLIVIER
Non, je n'avais pas tout entendu.

NICOLAS
Qu'est-ce qu'elle renâcle là ?

JOLICŒUR
Là vous jouez pas franc jeu, Mame Catherine, et vous vous moquez.

CATHERINE
Mais oui, mais oui, je me moque. Et c'est facile avec la bande d'abrutis que vous êtes, juste bons à creuser des trous dans le sable pour y appeler le diable et ses suppôts. Mais en attendant, il a rien appris, mon garçon, il sait ni lire ni écrire...

NICOLAS

Pas vrai, je suis rendu aux subjonctifs.

OLIVIER, *sceptique*

Rendu... rendu...

CATHERINE

Quoi c'est que ça, Nicolas! tu refuses donc de partager ton île avec ton meilleur ami? Tu préfères le voir partir, s'en aller, peut-être risquer sa vie encore un coup? C'est ça que tu cherches?

NICOLAS

Non, c'est pas ça...

CATHERINE

C'est quoi à la fin que tu veux?

JOLICŒUR

Il veut son phare, Mame Catherine, comme c'est son droit. J'ai pas l'intention d'y enlever.

CATHERINE

Si fait, t'as l'intention, parce qu'une offre de même se présente point deux fois dans une vie. Je connais assez la mer pour savoir que le rêve de tous les matelots... Comme ça, tu le prends le phare, ou pas?

Silence.

JOLICŒUR, *sceptique*

Combien?

CATHERINE

Comment «combien»? Puisqu'on te l'offre. V'là la lettre du gouvernement. T'as qu'à profiter de la chance quand elle passe. Le gouvernement nous a donné trente jours pour nous décider. Tu dois donc te décider aujourd'hui. C'est pas pour rien que t'as choisi Anticosti. Le destin t'a fait échouer sur nos côtes tout exprès.

OLIVIER

Le destin fait jamais rien exprès.

CATHERINE

Ah! non? C'est quoi alors qu'est arrivé dans l'île? des accidents? Six morts de suite, six accidents?

JOLICŒUR

Quelle sorte d'accidents? À qui? Racontez-moi.

CATHERINE

C'est pas le temps. Il nous reste même pas une demi-journée pour écrire la lettre et remettre le phare en état. C'te nuit, il faut que sa lumière éclaire la mer si on veut point en voir d'autres, des accidents.

JOLICŒUR

Il faut. Mais ça c'est un métier qui revient à Nicolas qu'est rendu un homme. La nuit prochaine...

CATHERINE, *le coupe*

Pas Nicolas! jamais!

JOLICŒUR, *perplexe*

De quoi vous avez peur, Catherine?

CATHERINE

J'ai point peur.

JOLICŒUR

Si fait. De quoi?

CATHERINE

De rien.

JOLICŒUR

Y a des chats morts dans l'île.

CATHERINE

Si c'était des chats!

JOLICŒUR

Alors quoi?

OLIVIER
Allez! Madame Catherine, racontez.

NICOLAS
Dis-lui ce qui te tracasse, m'man. Vide ton sac.

OLIVIER
Il faut tout lui dire, au matelot, avant de l'embarquer dans l'aventure des Atras.

JOLICŒUR
Quelle est cette aventure des Atras?

NICOLAS
Vas-y, m'man. Finissons-en avec cette histoire.

CATHERINE, *qui se décide après un silence*
Très bien, très bien, puisque vous voulez tout savoir, vous allez tout savoir. Après ça, matelot, tu auras une bonne raison de le refuser, le phare. Et Nicolas aussi.

JOLICŒUR
On verra bien.

On entoure Catherine qui raconte.

CATHERINE
Cinquante ans passés, le gouvernement du pays a lancé un concours: il a promis à celui-là qui réussirait à emporter des planches et commencer à construire un phare au sommet du rocher, ce rocher-là, de lui confier le phare et de le nommer gardien à vie.

OLIVIER
Il l'a dit en toutes lettres dans un décret.

CATHERINE
Point un décret, radoteux, il l'a juste dit, annoncé.

NICOLAS
Continue.

CATHERINE

Les Atras habitaient l'île d'Anticosti depuis les premiers arrivés au pays et avaient longtemps rêvé d'un phare. Mais en cachette et de nuit, un dénommé Eutrope, qui en voulait aux Atras comme un loup en veut aux chiens, a réussi à installer des poulies, des cordages...

OLIVIER

Il a construit une sorte de monte-charge pour grimper ses planches jusqu'en haut. C'était pas bête, remarquez, et ça demandait un esprit inventif.

CATHERINE

Peuh!... La méchanceté, la cruauté et l'envie sont les trois mamelles de l'invention.

OLIVIER

Tiens!... je la connaissais pas, celle-là.

CATHERINE

Toujours bien que l'Eutrope en question a construit le phare et s'attendait à le recevoir en héritage. Mais...

OLIVIER

...entre-temps, le pouvoir avait changé de mains. Le nouveau gouvernement...

CATHERINE

Finalement les Atras ont récupéré leur bien, qui leur revenait.

JOLICŒUR

Comment ça, puisque le dénommé Eutrope avait gagné le pari?

OLIVIER

C'est ce que j'ai tout le temps dit... Et c'est pour ça que les Atras ont payé.

CATHERINE

Payé assez cher pour effacer l'injustice, si injustice y a eue. Six hommes ont péri tragiquement.

JOLICŒUR

Et quel rapport avec Eutrope? Il les a tués?

CATHERINE

Tout comme. Il leur a jeté un sort. Quand il a compris que le phare passait aux mains des Atras...

OLIVIER

...malgré que ce phare lui revenait de droit...

CATHERINE

...il a fait un pacte avec le diable. Il a dit en prenant la nature, l'enfer, et toute l'île à témoin, que les sept — il a bien dit sept — premiers gardiens du phare seraient maudits et périraient de mort tragique. (*Elle se signe. Nicolas va l'imiter mais s'arrête.*) La malédiction s'est accomplie six fois. Six hommes ont grimpé dans la tour en cinquante ans et tous sont morts.

JOLICŒUR

En cinquante ans... c'est presque normal qu'un phare ait connu six gardiens.

CATHERINE

Normal! ... Normal que le premier, après avoir erré des semaines sur des banquises au large, s'en vienne crever de la gangrène chez lui, parce qu'un innocent lui avait dégelé les jambes à l'eau bouillante? Normal que l'aîné de ses garçons périsse à moins d'un mille de son phare, attaqué de nuit par un loup-garou? Normal que le troisième se neye juste là, au pied du rocher, poussé à l'eau par une main invisible et diabolique? Normal que son frère reçoive au beau mitan du front une balle perdue, sortie d'une carabine qu'on a jamais retrouvée dans ce bout de l'île et qui peut-être existe pas? Et t'appelleras normal

79

en plusse que mon homme, le propre père de ton ami Nicolas, s'en vienne rendre l'âme dans mes bras pour avoir mangé des champignons poisons que personne avait jamais vus pousser sur nos côtes? Dieu ait son âme! (*Elle et Nicolas se signent.*) Enfin, puisqu'il faut tout te dire, et qu'il te faut connaître la tragédie des Atras jusqu'au bout, le sixième, cousin germain de Nicolas, fils aîné du fils aîné de l'aïeul, première victime, un beau jeune homme de moins de trente ans...

OLIVIER, *sceptique*

Beau jeune homme... (*Il hausse les épaules.*)

CATHERINE

...un beau jeune homme qu'on a retrouvé pendu à la plus haute poutre de son phare, au bout d'un câble de bateau qui s'était démarré tout seul avant de prendre le large. Asteur venez me dire à moi, mère et veuve des Atras, que v'là six morts normales et point prédestinées.

JOLICŒUR

Point prédestinées... mais point non plus des morts naturelles.

CATHERINE

Je savais!

JOLICŒUR

Allons, les Atras! c'est pas le sort qui a tué votre famille, ni le destin; c'est quelqu'un qui a fait le coup.

NICOLAS

Quelqu'un?

CATHERINE

Quoi c'est qu'il ramâche là?

OLIVIER

Ça ne peut pas être Eutrope qui est mort bien avant eux.

JOLICŒUR

Mais y a bien du monde dans l'île. C'est évident que quelqu'un en veut aux vôtres, ou au phare. Ça sent bien mauvais tout ça.

OLIVIER

En dehors d'Eutrope, je vois pas.

JOLICŒUR

Qui, parmi vos voisins...

CATHERINE

Nos premiers voisins sont à huit milles.

NICOLAS

Et ils sont tous venus veiller nos morts, en faisant dire des messes.

CATHERINE

Les Vigneault, on leur donnerait le bon Dieu sans confession, tout originaux qui soyont. Et les Pelletier, bons comme du bon pain.

OLIVIER

On peut quand même pas soupçonner Théophile Dugas, ni le capitaine Cormier, ni...

CATHERINE

Non, c'est le sort. C'est Eutrope qui revient d'entre les morts.

JOLICŒUR

Les sorts, ça n'existe pas. Ouvrez-vous les yeux. Vos hommes ont tous été frappés par une seule main. Depuis cinquante ans... Faut commencer par éliminer tous les jeunes de moins de... Cinquante ans passés, qui habitait dans l'île à votre connaissance?

Olivier se sent gêné.

CATHERINE
À part Olivier...

NICOLAS
M'man, tu vas quand même pas t'imaginer...

CATHERINE
J'imagine rien, je réponds à l'enquête du coroner... Mais non, mais non, grand fou. Même que je voudrais, je pourrais point avoir des soupçons sur un homme que j'ai vu chaque jour boire, dormir et manger, et que j'ai entendu radoter durant ses cinquante années de vie dans l'île.

Elle rit. Olivier boude.

JOLICŒUR
Olivier, vous êtes le seul qui pouvez nous éclairer, le principal témoin de trois générations de disparus. Qui avez-vous rencontré dans l'île en premier? Qui aurait pu vous paraître suspect?

OLIVIER
Mais personne.

JOLICŒUR
Vous n'avez rencontré personne?

OLIVIER
Si fait, mais...

JOLICŒUR
Vous ne vous résignez pas à les croire capables de méfaits. Faut pourtant que quelqu'un, sous vos yeux...

NICOLAS
Y a personne autour, hormis nous autres pis Margot.

JOLICŒUR

Margot?...

CATHERINE

Margot!! C'est pas vrai! Mais si! C'est la seule!

OLIVIER

Main non, mais non, pas Margot tout de même...

CATHERINE, *jalouse*

Et pourquoi pas?

NICOLAS

Pas Margot. Elle est pas méchante, Margot, elle pourrait pas faire mal à une mouche.

CATHERINE

Parce que les mouches sont de son bord. J'aurais bien dû me douter aussi. J'ai tout le temps dit que la vaurienne était notre plaie d'Égypte.

OLIVIER

Voyons donc! juste bizarre, Margot, point méchante.

JOLICŒUR

Faudrait voir. Vous parliez de loups-garous... C'est pas elle, Margot la Folle, qu'on entend parfois la nuit, hurler aux loups?

Olivier et Nicolas gardent un silence inquiet.

CATHERINE

Toutes les nuits que le bon Dieu amène.

JOLICŒUR

Et les champignons vénéneux... Qui a l'habitude dans l'île de faire la cueillette de champignons?

Silence.

CATHERINE

Qui c'est que tu penses!

JOLICŒUR

Et la balle de carabine? Elle ne fait pas la chasse, Margot?

OLIVIER, *qui cherche à la défendre*

La chasse au gibier.

CATHERINE, *qui cherche à l'accuser*

Toutes sortes de gibier.

JOLICŒUR

Écoutez. Je sais pas qui a fait les six coups; mais celui-là vous a bien endormis en faisant circuler sa légende du jeteux de sort.

CATHERINE

Ça c'est pas une légende. Eutrope a existé et fait serment de se venger sur les Atras.

JOLICŒUR

Ben sûr qu'il a fait serment. Comme chaque soir Olivier fait serment de trouver son premier trésor durant la nuit. Il vous a bien eus malgré lui, l'Eutrope. Pendant que vous avez les yeux rivés sur lui, un autre continue de rôder dans l'île.

CATHERINE

Et cet autre-là, c'est la folle de Margot l'enragée. Je m'en vas moi-même y faire un sort à celle-là.

JOLICŒUR

Attendez! pas si vite. Il faut des preuves, la faire avouer.

OLIVIER

Vous arracherez pas de Margot ce que Margot aura point d'elle-même décidé de vous livrer.

JOLICŒUR

Laissez-moi faire. C'est elle là-bas? Rentrez. Et je vais y faire... Faites-moi confiance... Après ça, j'y grimperai sans crainte dans votre phare ensorcelé.

CATHERINE

Jamais de la vie! Si le phare est point hanté, il revient de droit à Nicolas, c'est un bien de famille. V'là la lettre qui le nomme à vie, c'est officiel et personnel... Quoi c'est que ça, Nicolas, t'es pas content? Tu vas l'avoir, ton phare!

NICOLAS

Je peux pas croire que Margot la Folle...

JOLICŒUR

Retirez-vous et laissez-moi seul avec elle. Allez, allez!

Les trois se retirent. Jolicœur appelle Margot.

SCÈNE II

JOLICŒUR

Margot! Mame Margot! Ma jambe est guérie, voyez. Merci pour les herbages.

Apparaît Margot.

MARGOT

Guérie? Alors pourquoi tu boites, charlatan?

JOLICŒUR

Mais pour la personnalité... Un certain boitement ajoute au charme de l'aventurier. Pensez aux pirates.

MARGOT

Leur charme, les pirates ne l'avaient pas dans les jambes. Ça paraît que tu en as jamais connu... de vivants.

JOLICŒUR

Ah! parce que vous, Margot, vous étiez là du temps des pirates?

Margot le perce jusqu'à l'âme, puis change de sujet.

MARGOT

Tu t'embarques... demain matin?

JOLICŒUR

Au petit jour. J'aime autant quitter cette île maudite. Elle sent la charogne.

MARGOT

Tu as raison. Prends la mer au plus vite : qu'elle
t'emmène au bout du monde où tu seras à l'abri des
dangers de la vie.

JOLICŒUR

À quel danger pensez-vous... en particulier?

MARGOT

À celui de vivre, nigaud.

JOLICŒUR, *à la fois surpris et amusé*

Et quel genre de danger menace ma vie?

MARGOT

Le danger de mort.

JOLICŒUR

Mais quelle mort?

MARGOT

As-tu des préférences?

JOLICŒUR

Voyons, Margot, ne cherchez pas à me distraire
et nous éloigner du sujet.

MARGOT

Le sujet?

JOLICŒUR, *qui cherche à reprendre le dessus*

Margot, vous habitez l'île depuis plus de cinquante ans, non?

MARGOT

Bien plus.

JOLICŒUR

Vous avez donc vu naître et mourir plus d'une génération d'hommes.

MARGOT

D'hommes, de femmes et d'enfants. La mort est le destin final de tous les mortels, dans l'île.

JOLICŒUR

La mort naturelle. Mais certaines morts...

MARGOT

La mort n'est jamais autre chose que naturelle. Elle est inscrite dans la nature : celle des arbres, des papillons, des oiseaux, des hommes.

JOLICŒUR

Pourtant, si j'attrape un papillon et que je l'écrabouille, comme ça, j'ai précipité sa mort. J'ai d'une certaine manière aidé la nature.

MARGOT

Et puis ?

JOLICŒUR

Eh bien, j'ai, comme qui dirait, participé à un ...meurtre.

MARGOT

Tu y participes à chaque instant du jour, à tes meurtres : chacun de tes pas écrase des milliers de fourmis.

JOLICŒUR

Et si, au lieu des fourmis, j'écrasais une demi-douzaine d'hommes...

MARGOT

Pour ça, t'aurais besoin de chausser des bottes d'une autre pointure que les tiennes, mon garçon.

JOLICŒUR

Vous voulez dire que j'en serais incapable, moi, le matelot Jolicœur?

MARGOT

Si t'as l'intention de te lancer dans cette aventure, il faut pas mettre Margot la Folle dans le secret.

JOLICŒUR

J'ai pas besoin de me donner tant de peine: les six hommes sont déjà morts. Et m'est avis que Margot la Folle a déjà été mise dans le secret.

MARGOT

Si tu veux parler des Atras, Margot en effet est au courant de certaines choses.

JOLICŒUR, *encouragé*

J'oserais même dire de pas mal de choses.

MARGOT

Beaucoup plus que tu penses.

JOLICŒUR

Je pense que si Margot voulait, elle pourrait même me donner en toutes lettres le nom du meurtrier. Et m'épargnerait du temps.

MARGOT

Elle pourrait. Mais la liste serait longue.

JOLICŒUR

Vous voulez dire qu'y en a eu plusieurs?

MARGOT

Il y a eu les glaces qui sont souvent meurtrières dans le nord; les loups-garous qui ont fait pacte avec le diable; la mer...

JOLICŒUR

Non! non, Margot, pas ça!... Le nom de celui ou

celle qui a poussé chacun vers son destin : ... le nom de celle qui se change en loup-garou la nuit.

MARGOT

Celle-là s'appelle la Mort, de son petit nom. Mais personne n'a encore accepté de la regarder en face, de peur de la reconnaître. Personne dans l'île, ni ailleurs, ne consent à l'approcher, la tâter, lui demander ses raisons... Si, peut-être un seul. Et encore. De très loin et sur la pointe des pieds... C'est curieux comme va le monde. La seule chose dont chacun soit vraiment sûr, sa seule compagne de la dernière heure, est celle qu'il cherche le plus à éloigner de lui, et qu'il n'écoute jamais, jamais. Pourtant, s'il consentait à l'approcher, et se laisser apprivoiser, tout serait tellement plus simple. La plus fidèle compagne de la vie, c'est la mort.

JOLICŒUR

La mort? Mais Margot, vous en parlez comme si elle était de la parenté. Elle vous a jamais fait peur?

MARGOT

Peur? Et c'est toi, le matelot, qui parles de même? Toi qui prends la mer chaque jour sans savoir où la garce va t'emmener? Tu dors cargué à côté d'elle au fond d'un hamac toutes les nuits; tu l'entraînes avec toi en haute mer, dans les îles sauvages, sur des terres inconnues; tu descends dans les premières tavernes des ports malfamés, où des matelots sortis des quatre coins du monde ont toujours la main sur un couteau bien affilé; et tu finis par te payer un joli petit naufrage sur les côtes rocheuses d'Anticosti... pour la frôler de plus près, pour y goûter, pour la forcer à mettre ses yeux dans les tiens.

JOLICŒUR

Mais non, Margot, je cherche pas à l'attirer, j'ai jamais couru après ma mort...

MARGOT

T'as eu tort, elle aurait pu d'un seul coup répondre à toutes tes questions.

JOLICŒUR

Mais je me pose pas de questions, je veux vivre, c'est tout. Je cherche seulement à savoir comment sont morts les six gardiens du phare...

MARGOT

Tu es comme tout le monde : plus inquiet du sort des autres que du tien ; plus préoccupé par le «comment», le «quand», le «pourquoi», le «par qui» de la mort que par la mort elle-même.

JOLICŒUR, *qui perd pied*

Tu ne comprends pas, Margot, j'enquête seulement pour connaître la cause de la mort des six gardiens du phare.

MARGOT

Il n'y a pas d'autre cause à la mort que la vie. Tout le reste est accidentel. Face à la mort, les vivants sont si peu de chose que, même s'ils le voulaient, ils ne pourraient tout seuls causer la mort de personne. Commence par faire son procès à l'air que tu respires et qui est vicié ; aux poumons qui l'aspirent et qui un jour ou l'autre s'étouffent et lâchent. Largue tes chiens sur les vraies pistes, si tu veux des coupables à tout prix. Eutrope, qui a jeté un sort sur le phare, n'a causé la mort de personne ; il n'a fait qu'ouvrir les yeux aux sept gardiens sur leur destinée propre ; chacun après ça s'est arrangé pour aller se jeter lui-même dans les bras de celle qui les attendait, sans même bouger le petit doigt.

JOLICŒUR

Pas sept, six. Nicolas est encore en vie.

MARGOT

Encore en vie. Mais le phare est toujours là qui l'attire. C'est plus fort que lui. La destinée est toujours la plus forte.

Elle le quitte. Il reste estomaqué, au bord de la panique.

JOLICŒUR

Margot! Margot, attendez! (*Pour lui-même:*) Margot!...

SCÈNE III

Arrive Olivier, attiré par les cris.

OLIVIER

Qu'est-ce qui arrive? Jolicœur!

JOLICŒUR

Olivier... faut empêcher Nicolas de grimper cette nuit dans son phare. Je commence à croire qu'il est vraiment hanté.

OLIVIER

Qu'est-ce qu'elle t'a dit, la Margot, pour te revirer comme ça? Elle a avoué?

JOLICŒUR

Non. Margot n'y est pour rien. Mais le sort... la destinée... la mort a déjà marqué Nicolas.

OLIVIER

Tu déparles, Jolicœur. Toi-même tout à l'heure tu accusais Margot, tu ne croyais ni au destin, ni à Dieu, ni à diable. Qu'est-ce qu'elle t'a fait?

JOLICŒUR

Mais elle ne m'a rien fait. On a causé. J'ai compris que... que le sacré Eutrope était pas un sorcier, ni un jeteux de sorts, rien qu'une espèce de voyant. Il a vu et prédit aux sept gardiens leur bizarre destinée, et chacun est allé s'y jeter, les yeux fermés. Il faut sauver Nicolas.

OLIVIER

Si fait, faut sauver Nicolas. Va prévenir sa mère. Dépêche. Ils sont au logis. Va, va !

Jolicœur court vers la maison.
Olivier parle tout seul.

SCÈNE IV

OLIVIER

Comme ça, la Margot s'est décidée à porter des accusations... Eutrope le voyant, le prophète !.. La vaurienne ! Durant cinquante ans elle m'a fait des accroires. Mais cette fois, je l'empêcherai. (*Il appelle.*) Margot !... Où tu te caches, Margot la Folle ? (*Elle apparaît derrière lui et le fait sursauter.*)

MARGOT

Salut, Olivier l'Ancien, mon vieil ami.

OLIVIER

Tu m'as fait peur, vieille garce !

MARGOT

Oh ! garce suffit. N'y ajoute pas du vieille.

OLIVIER

Et puis Olivier est trop ancien pour saluer les dames. Et n'a plus d'amie.

MARGOT

Quelle tête tu fais, compagnon. Un si beau soir !

OLIVIER

Le soir déjà ?

MARGOT

La plus belle heure de Nicolas qui devient un homme. Le trentième jour, il est enfin l'héritier légitime du phare.

OLIVIER, *qui a une idée*

Légitime? Qu'est-ce que tu en sais qu'il est fils légitime des Atras? Certains galants ont bien fréquenté sa mère, dans le temps.

MARGOT, *jalouse*

Toi, Olivier, vieille ordure?

OLIVIER

Hé, hé!... Supposons que Nicolas ne soit pas un Atras...

MARGOT

N'essaye pas de me remplir la tête, beau jars! Je connais trop la Catherine.

OLIVIER, *qui joue au mystérieux*

Tu es si sûre?

MARGOT

Sûre de rien depuis qu'elle est veuve. Mais du vivant de son homme... je suis sûre. En tout cas, si Nicolas n'était pas un Atras, elle le saurait, et ne ferait pas tant d'histoires pour l'éloigner du phare. Nicolas est un Atras et sera le septième gardien.

OLIVIER

Tu y tiens tant que ça à le voir périr après tous les autres? Six victimes t'ont point suffit?

MARGOT

Victimes de leur destin.

OLIVIER

Non, Margot la Folle, n'essaye pas de me faire des accroires à moi. Voilà cinquante ans que nous habitons la même pointe de rocher, que nous avons vu se dérouler sous nos yeux une tragédie en six temps. Ça serait pas toi, Margot, qui l'aurais envoyé sur les glaces, le premier des Atras, à la veille de la fonte des neiges ?

MARGOT

Les Atras ont décidé eux-mêmes de leur destinée le jour où ils ont usurpé le phare qui était le bien d'un autre. Les tares se transmettent de père en fils, comme les tics, les pigments et la tache originelle...

OLIVIER

Mais toi, Margot...

MARGOT

Les Atras pouvaient se passer de moi ; ils avaient tous une telle soif de se jeter en bas, pour voir. Comme toi, Olivier. C'est pourquoi tu leur as donné un sacré coup de pouce.

OLIVIER, *estomaqué*

Moi ? Je n'ai jamais été mêlé à aucun crime...

MARGOT

Qui parle de crime ?

OLIVIER

Six hommes sont morts.

MARGOT

Six mille milliards d'hommes sont morts, et autant de femmes et d'enfants.

OLIVIER

N'essaye pas de me distraire, la Folle. Nous parlions...

MARGOT

...de la mort des hommes, les uns après les autres, et petit à petit, de l'humanité.

OLIVIER

Nous parlions de gangrène, de noyade, de pendaison, d'empoisonnement...

MARGOT

...de guerre, de peste, de famine ! La vie a un temps, Olivier, après...

OLIVIER

Raison de plus pour lui laisser faire son temps et point pousser dessus.

MARGOT

Alors il fallait pas pousser, vieil homme.

OLIVIER

Mais je n'ai rien eu à faire là-dedans !

MARGOT

Rien ?

OLIVIER

Rien ! ma main sur l'Évangile.

MARGOT

Hé-hé !... Qui est celui-là qui s'en est allé, quarante ans passés, casser les glaces à coups de pic, à la veille de la chasse aux phoques, et qui a provoqué la débâcle qui a emporté le premier des Atras ?

OLIVIER

Mais... mais je ne faisais que chercher des trésors sur la dune... je n'ai jamais eu l'intention...

MARGOT

L'intention n'a rien à voir là-dedans. Et qui a semé dans la tête des gens de l'île la légende des loups-garous qui s'attaquent aux hommes la nuit ?

OLIVIER

Je racontais des contes.

95

MARGOT

Rien de plus proche de la vérité que les contes. Faut pas jouer avec les demi-vérités, car la nuit tous les chats sont gris. Et celui qui s'est noyé un jour de tempête... qui l'avait envoyé lire la mer au bord du cap?

OLIVIER

Je l'ai fait sans penser à mal, je cherchais rien qu'à connaître le temps qu'il ferait la nuit suivante.

MARGOT

Et la balle perdue, elle sortait de quelle carabine mal astiquée la veille?

OLIVIER

Ça je ne l'ai jamais su: une balle perdue...

MARGOT

...c'est une balle perdue. Mais toutes ne sont pas perdues pour tout le monde... Parlons des champignons.

OLIVIER

Tu ne vas quand même pas m'accuser de faire pousser des champignons vénéneux.

MARGOT

Je n'accuse pas, je constate. Je t'aide à faire le bilan de tes actions inoffensives. À force de creuser chaque nuit des trous dans la terre, de labourer un sol endormi...

OLIVIER, *qui s'attrape la tête*

Arrête!... Et le câble qui a pendu le dernier Atras... je l'avais dénoué la veille... j'en avais besoin pour remonter le coffre de son trou, advenant que...

MARGOT

...que le trou cacherait un coffre. Fais le compte.

OLIVIER, *affolé*

Mais je n'ai jamais voulu tuer personne... c'est toi, Margot, toi seule...

MARGOT

Margot ne fait jamais rien toute seule.

OLIVIER, *résigné*

Comme ça... j'ai été sans le vouloir la main de... du destin... Eh ben! Olivier, mon vieux, tout ça te fait une belle jambe! ...Et toi, Margot... toi là-dedans...

MARGOT

Moi... qui, moi?

OLIVIER

Qui es-tu, toi, Margot la Folle?

MARGOT

Ta copine, Olivier, l'amie de Nicolas...

OLIVIER

Non!... non, Margot, faut laisser Nicolas tranquille, faut le laisser faire sa vie.

MARGOT

C'est déjà fait.

OLIVIER, *inquiet*

Que veux-tu dire?

MARGOT

Nicolas a fait sa vie, une belle vie... pleine de gestes, de bruit, de cris, de silence, de lutte, de rêve, de peur, de folie, d'amour...

OLIVIER

Non, il n'a pas eu tout ça, il n'en a pas eu le temps.

MARGOT

Le temps! toujours le temps! Vous n'avez que ce

mot-là à la bouche, le temps! Cent ans de plus ajou-
teraient si peu de chose.

OLIVIER
Il n'a même pas connu l'amour.

MARGOT, *mystérieuse*
J'ai aimé beaucoup Nicolas...

OLIVIER
Mais... Margot...

MARGOT
Il est à moi maintenant, Nicolas.

Elle s'éloigne. Olivier s'attrape la tête, affolé.

OLIVIER, *qui monologue*
Vieux fou! C'est toi qui as laissé faire ça! Toi qui
te pensais si rusé, si retors! Des trésors! imbécile. Et
la vie alors? et Nicolas? C'est sa tombe que tu creu-
sais chaque nuit en lui virant la tête vers les étoiles...
Non! non!... (*Il crie:*) Margot!... Margot la Folle! (*Il
part à sa poursuite.*)

SCÈNE V

*Catherine, Nicolas et Jolicœur reviennent de la
maison en gesticulant et argumentant.*

CATHERINE
Non, non et non! Tu me feras pas changer d'idée
deux fois dans une même journée. C'est Margot la
Folle la coupable et personne d'autre.

NICOLAS
Mais écoute Jolicœur, m'man. Quitte-le parler.

CATHERINE

Si le matelot veut gaspiller sa crache, moi je garde la mienne pour y cracher à la face, à l'ogresse... avant de la voir pendre au bout d'une corde.

JOLICŒUR

J'ai parlé à Margot, je l'ai poussée à tout avouer.

CATHERINE

Tu vois? Je savais!

JOLICŒUR

Tout avouer ce qu'elle savait. Et ce qu'elle sait...

NICOLAS

Dis-le...

JOLICŒUR

Elle a aussi peur pour Nicolas que chacun de nous autres. Elle est sûre qu'Eutrope a eu la vision de l'avenir...

CATHERINE

Des visions, asteur!

JOLICŒUR

Un chien sent venir l'orage des heures d'avance. Certaines personnes de même... Faut que Nicolas s'éloigne du phare. Il a quelque chose de pourri dans ses murs, ce phare-là.

CATHERINE

Ça serait pas que je te l'ai trop vanté, le phare? que tu voudrais le garder pour toi, mécréant?

JOLICŒUR

Que le diable emporte le phare! Et moi, au petit jour, j'emmenerai Nicolas.

NICOLAS

Où ça?

JOLICŒUR

Au bout du monde.

CATHERINE

Quel bout? Je pensais que c'était la Pointe-à-Margot, le bout du monde.

JOLICŒUR

Le phare est maudit. Nicolas s'y perdra. Voyons, Catherine, encore ce matin vous cherchiez par tous les moyens à en éloigner votre garçon.

CATHERINE

Ce matin, je croyais Eutrope coupable. Mais depuis que je sais que c'est la Margot, Margot seule qui a fait le coup aux Atras, je rends le phare à mon garçon, et la Folle à sa corde. Tu t'es laissé prendre, pauvre homme, comme la moitié des mâles de l'île. Je sais pas ce que vous lui trouvez tous à la Margot. Mais moi je sais le sort que je lui prépare.

JOLICŒUR

Viens-t'en avec moi, Nicolas. T'apprendras vite ton métier, tu as la mer dans le sang. Le monde est immense au-delà de l'horizon, tu verras. La Terre de Feu au sud du sud... l'île de Pâques, les îles Vierges, l'île de la Mère de Dieu...

CATHERINE

Un monde qui ressemble à un catéchisme en images. T'es encore mieux sur ta pointe sauvage, mon enfant.

NICOLAS

À pêcher des coques et des moules et jeter des filets à l'eau chaque lundi matin? Au moins, si j'avais eu le phare...

CATHERINE

Mais puisque je te dis que tu l'as, le phare.

NICOLAS
Pas si... pas si...

JOLICŒUR
Pas s'il y risque sa peau.

CATHERINE
Une fois Margot derrière les barreaux, il risque plus rien.

JOLICŒUR
Je vous aurai avertis.

CATHERINE
Le jour baisse. Ça sera bétôt la nuit. J'irai moi-même allumer, s'il faut. C'te nuit, le phare doit éclairer la mer.

NICOLAS
Toi, m'man?

CATHERINE
Quelqu'un doit prendre la relève des Atras. Un si beau phare!

JOLICŒUR
Brûlez-le, bon Dieu de bon Dieu!

Il fait un geste du bras et grimace sous la douleur.

CATHERINE
Tu vois? À t'éjarer de même, tu vas rouvrir tes plaies et te refêler les os.

Elle s'approche pour lui tâter et frictionner les membres.

Viens. J'ai de quoi au logis qui saura te remettre d'aplomb et engourdir le mal. (*Elle l'entraîne.*) Qui saura peut-être aussi te chasser de la caboche les mirages qui y a enfoui la sorcière de l'île.

101

JOLICŒUR

Une sacrée sorcière, laissez-moi vous dire.

CATHERINE

Viens toi aussi, Nicolas. Si c'est vrai que t'es un homme... il faut boire à ça.

NICOLAS

J'y vas, j'y vas...

SCÈNE VI

Nicolas reste seul, visiblement troublé. Il s'approche de la mer et se met à faire sauter des pierres sur l'eau. Il vide ses poches de cailloux et finit par trouver son agate, qu'il examine, puis lance à la suite des autres.

NICOLAS, *dépité*

Et pis marde!

Il s'assoit, les poings sur les joues. Apparaît Margot.

MARGOT

Bonsoir, Nicolas. C'est presque nuit déjà.

Il sursaute.

NICOLAS

Va-t'en, Margot. Tu me fais peur.

MARGOT

Je te fais peur? C'est nouveau ça. Quelqu'un a mal parlé de moi? (*Silence.*) Le matelot étranger?

NICOLAS

Non, pas Jolicœur. Au contraire, c'est lui asteur qui cherche à te défendre.

MARGOT

Me défendre? Contre qui? Qui m'attaque... à part ta mère?

NICOLAS

Ma mère.

MARGOT

Ça, je le sais. Ta mère et moi, on est chien et chat depuis... depuis qu'Olivier a point pu se décider à choisir entre nous.

NICOLAS

Quoi c'est que tu veux dire?

MARGOT

Voyons, à ton âge, Nicolas, tu pourrais commencer à te déniaiser un petit peu.

NICOLAS

Je suis pas si niaiseux que je parais. Je le sais ce qui se passe entre vous trois. C'est Olivier lui-même qui me l'a dit.

MARGOT, *qui réagit*

Qu'est-ce qu'il t'a dit, le beau jars?

NICOLAS, *qui boude*

Il m'a rien dit, mais j'ai deviné.

MARGOT

T'as deviné quoi?

NICOLAS

C'est rendu que je sais même plus qui je suis, avec tout ça.

MARGOT

T'es le fils de ton père, Nicolas. Aie aucun doute là-dessus.

NICOLAS, *surpris*

...C'est pas ce que je voulais dire.

103

MARGOT
Le dernier des Atras.

NICOLAS
Pourquoi le dernier? et mes enfants à moi?

MARGOT
Le dernier à l'heure qu'on parle.

NICOLAS
Tu y crois, toi, Margot, au destin des gardiens du phare? À la ... malédiction?

MARGOT
Je crois au destin qui n'est jamais malédiction.

NICOLAS, *soupçonneux*
Alors qui les a fait mourir les uns après les autres, les Atras?

MARGOT
La vie les a jetés les uns après les autres dans les bras de la mort.

NICOLAS
Personne a rien fait pour aider? Tu trouves toutes ces morts naturelles?

MARGOT
Pauvre enfant! T'aurais grand besoin d'un maître capable de t'enseigner autre chose que les subjonctifs. Capable de t'instruire sur l'éternelle lutte entre la vie et la mort. Qui dure depuis le commencement des temps. La seule chose pas naturelle serait la vie sans la mort, sa compagne inséparable. Tu t'imagines, toi, Nicolas, vieillissant, vieux, archi-vieux, traînant une vie sans vie et qui ne veut pourtant pas s'en aller, les os vidés de leur moelle, les sens atrophiés, le dos courbé jusqu'à terre, une terre qui refuserait de s'ouvrir pour t'accueillir parce que toi, Nicolas, tu aurais refusé ton destin.

104

NICOLAS

Mon destin ? J'ai un destin, moi ?

MARGOT

Comme tout un chacun. Le tien c'est le plus beau de tous.

NICOLAS

C'est vrai ?

MARGOT

De vivre en compagnie des étoiles. De suivre, chaque nuit, les constellations qui voyagent depuis des temps immémoriaux.

NICOLAS

Du haut du phare ?

MARGOT

Promenant ta lumière loin sur la mer, éclairant les navires perdus ou égarés entre les îles...

NICOLAS

Mais si je m'embarquais plutôt sur un de ces navires et que je partais voir le monde au loin, le monde vrai, celui que j'imagine et que je rêve de trouver un jour...

MARGOT

Tu reviendrais au bout d'une longue vie, épuisé d'avoir cherché ce vrai monde en vain : parce qu'il t'aurait échappé toute ta vie ; parce que tu es trop pur pour lui ; parce que la vision que t'en donne ton phare est plus belle que la réalité que ton phare cherche à éclairer.

NICOLAS

...Est-ce que ça existe, la destinée ?

MARGOT

Est-ce que j'existe, moi ?

NICOLAS
Toi, Margot, je te vois, je pourrais te toucher.

MARGOT, *se fait tendre*
Viens, touche, rassure-toi.

NICOLAS, *intimidé*
Je suis sûr... je sais que t'es là...

MARGOT
Approche... aie pas peur...

NICOLAS
J'ai pas peur... voyons...

MARGOT
Alors viens, petit, tout près... touche-moi... prends-moi dans tes bras...

Au moment où Nicolas, craintif, se décide, on entend un cri de loin : Olivier arrive hors d'haleine.

SCÈNE VII

OLIVIER
Non ! Nicolas ! N'y touche pas !

Nicolas se ressaisit. Margot change de visage.

NICOLAS, *gêné*
Olivier ! Quoi c'est que vous faites là ?

OLIVIER
T'approche pas d'elle, Nicolas.

MARGOT
Vieux jaloux !... Je me préparais à lui lire les lignes de la main. Tu as brisé le charme, envieux.

NICOLAS
Mais oui, Margot me disait la bonne aventure.

OLIVIER

Elle t'a enseigné à mentir en plus? en si peu de temps?

MARGOT

Peuh! Vieux toqué!

Elle s'en va.

OLIVIER

Promets-moi, Nicolas, de plus jamais t'approcher d'elle. Jure-le.

SCÈNE VIII

Catherine et Jolicœur reviennent de la maison, un peu gris et fort joyeux. Nicolas, gêné et ne sachant que faire, se met à siffloter au rythme de leur danse. Jolicœur continue même à boire.

CATHERINE, *qui s'arrête soudain*

Quoi c'est que ces mines d'enterrement? Mais où étiez-vous, le vieux? C'est bien la première fois que votre verre reste plein. Vous rendez-vous compte? C'est la fête, et ces deux grands lingards font abstinence. Faut les faire soigner.

JOLICŒUR, *saoul*

Leur envoyer le rabouteux... ou la sage-femme... hi, hi, hi!

CATHERINE

Voyons, Olivier! Il finit bien le drame des Atras d'Anticosti. Ce soir, Nicolas est un homme.

NICOLAS, *enfin décidé*

Il s'en va garder le phare comme sa lignée d'ancêtres avant lui.

107

OLIVIER

Je ne veux pas voir ça.

Il s'éloigne d'eux, s'assoit au bord de la mer, la tête dans ses mains.

CATHERINE

Le radoteux! Qui a radoté radotera.

NICOLAS

La clef, m'man. Où c'est donc que tu la cachais, ta christ de clef?

CATHERINE

Oh! ça vient juste de devenir un homme, et v'là déjà que ça jure.

Elle sort la clef qui tenait son chignon.

NICOLAS

Ça parle au diable!

Pendant ce temps, Jolicœur, saoul, marmonne tout seul.

JOLICŒUR

Ah! pis tant pis!... C'était du mirage.. la magie de l'île... L'ensorcellement, ça existe pas... le phare existe pas... la mort existe pas. Et vogue la galère!... Demain matin, je m'en vas.

NICOLAS

Il est saoul? Quoi c'est que tu lui as donné à boire?

CATHERINE

Hi, hi, hi! Il s'avait-i' pas mis dans la tête de t'empêcher d'hériter de ton bien!... Viens, matelot. Prends la clef, Nicolas Atras. C'est à toi que reviendra l'honneur d'entrer le premier.

On part en procession, en chantant et dansant. Image de la danse macabre.

Et rentre par le pied gauche, pour la chance!

SCÈNE IX

Olivier, resté seul en scène, s'aperçoit que les autres sont montés dans le phare. Il se redresse et part à la course en criant.

OLIVIER
Nicolas! Nicolas! descends!

Entre Margot qui vient lui barrer la route.

MARGOT
T'as pas honte, Olivier l'Ancien? À ton âge?

OLIVIER
C'est pas pour moi... c'est pour Nicolas. L'île sera bien vide sans lui.

MARGOT, *attendrie*
Bien vide. Personne ici ne va à la cheville de Nicolas... Bien vide, l'île.

Olivier profite de l'attendrissement de Margot pour se dégager et s'éloigner d'elle.

OLIVIER
Oui... c'est dommage... dommage qu'il doive partir si jeune.

MARGOT
Mais c'est son destin, celui des Atras.

OLIVIER
Oh! tu sais, le destin... y aurait peut-être moyen de moyenner.

MARGOT
S'il n'était pas né de ce lignage marqué!

OLIVIER
C'est pas plutôt le phare qui est marqué? Pas plutôt le gardien qui est maudit?

MARGOT

Nicolas a grimpé dans le phare cette nuit.

OLIVIER

Tu l'as voulu, Margot, tu l'y as poussé.

MARGOT

Hé oui! Tel est mon lot. D'ordinaire, j'y vais les yeux fermés. C'est la première fois que Margot la Folle... s'attendrit. Je t'ai trop fréquenté, bonhomme. Je crains qu'en ta compagnie...

OLIVIER, *amusé*

C'est tout comme si Margot la Folle et Olivier l'Ancien s'étaient échangé quelques miettes de leur surplus.

MARGOT

À force de se frotter aux hommes, même Margot s'humanise.

OLIVIER

...pendant qu'Olivier plongeait tête première dans les mystères insondables. Hélas! en y entraînant un innocent... imperceptiblement.

MARGOT

C'est bien ta faute, Olivier; tu me l'as, pour parler franc, jeté dans les bras. Tu lui collais le nez aux étoiles; tu lui décrivais, l'eau à la bouche, les infinis possibles qui se cachent au-delà des sept jours de la semaine... la banale semaine de sept jours de la garce de Catherine.

OLIVIER

Pourquoi tant d'animosité entre vous, les femmes?

MARGOT

Je ne supporte pas la vie obstinée qui s'accroche des dix ongles à son rocher. Mais elle n'a pas réussi. J'ai eu mes beaux jours en compagnie de Nicolas. Je l'ai instruit, apprivoisé, je lui ai même montré à jouer aux dés.

À ce moment, Olivier conçoit son idée. Il change de ton et ruse.

OLIVIER, *amusé*
Lui as-tu appris à tricher, vilaine?

MARGOT, *qui rit*
Tous les dés sont pipés, tu le sais bien. Le pauvre Nicolas s'est cru bien malin en poussant le dé du doigt pour m'arracher un sept. Il a gagné, ce jour-là, gagné le phare! Pauvre Nicolas qui a cru maîtriser le destin!

OLIVIER
Dis-moi, Margot, comment va s'y prendre le destin avec Nicolas?... Où?... et quand?

MARGOT
Tu veux en connaître des choses, vieux fouineux!

OLIVIER
D'accoutume, il y avait point de cachotteries entre nous.

MARGOT
C'est-à-dire que je perçais tes secrets.

OLIVIER
C'est à ton tour: lève le voile sur les tiens. (*Silence.*) On a été bons copains durant cinquante ans. (*Silence.*) Je te propose une partie de dés, Margot, comme autrefois. Je gagne, tu parles; je perds, tu te tais. Hein?

MARGOT
Tu te crois si fort, Olivier? Tu oublies que c'est moi qui t'ai appris à jouer.

OLIVIER

Et justement, tu ne cours pas de bien gros risques.

MARGOT

Le gardien du phare doit suivre sa destinée, Olivier, tu le sais. Le septième doit prendre le chemin des six autres.

OLIVIER

Je sais. Je veux seulement savoir comment, où, et quand. Jouons.

MARGOT, *qui sort les dés*

Tu vas tricher, comme d'accoutume.

OLIVIER

Tu n'as qu'à te méfier et en faire autant. Trois coups, trois secrets.

MARGOT, *qui joue*

Six + deux, huit. Quelle est ta première question?

OLIVIER

Comment va périr le septième? (*Il joue.*) Six + un, sept. Et voilà ma première question envolée.

MARGOT

Et la deuxième question?

OLIVIER, *qui veut tout savoir*

Où.. et puis qu'est-ce qui va se passer après... quel est le sort qui l'attend là-bas... au-delà...

MARGOT

Tout doux, tout doux! Tu poses trois questions dans une. Nous avons dit: où.

OLIVIER

Bien, où, à quel endroit?

MARGOT

Cinq + cinq, dix.

OLIVIER

Six... trois, neuf.

MARGOT

Et j'emporte mon deuxième secret. Tu as été bien présomptueux, Olivier, et pourtant, j'ai plaisir à jouer avec toi.

OLIVIER, *jaloux*

Mais encore davantage avec Nicolas.

MARGOT

Nicolas!... je veux le laisser à personne.

OLIVIER

Joue.

MARGOT

Nous jouons le «quand»?

OLIVIER

À quel moment exact, à la minute près.

MARGOT

Quatre + quatre, huit.

OLIVIER

Cinq + trois, huit! Égalité!

MARGOT

Match nul. Personne ne gagne.

OLIVIER

Si fait! j'ai droit à la moitié.

MARGOT

Une demi-réponse?

Olivier hésite, puis se décide.

OLIVIER

Non. Recommençons. Tout ou rien.

MARGOT

Brave bonhomme d'Olivier! Six + cinq, onze!

OLIVIER

Tu as triché, je t'ai vue!

MARGOT

Jamais de la vie!

OLIVIER

Si fait, tu es une tricheuse! et menteuse en plus!

MARGOT

Espèce de vieux décrépit! joue et accepte les règles. Tu sais bien que t'es pas plus fort que moi. Margot la Folle aura Nicolas!

OLIVIER

Pourtant le phare s'est éteint, la lumière s'est arrêtée de tourner! (*Elle se retourne brusquement pour voir. Il joue et triche pendant qu'elle a la tête tournée.*) Douze!

MARGOT, *furieuse*

Petit vaurien! Tu as menti et tu m'as distraite.

OLIVIER

Mais Margot, elle, n'est pas menteuse, elle tient toujours parole. Elle me doit une réponse.

MARGOT, *solennelle*

La vie du septième gardien prendra fin à l'aube, à l'heure précise où s'éteindra la dernière étoile. Je ne te révèlerai pas un mot de plus, Olivier l'Ancien. Et console-toi: peu de mortels en ont su autant. (*Elle s'en va en lui criant une dernière fois.*) Nicolas est à moi! Les jeux sont faits!

114

SCÈNE X

Olivier, seul, monologue face aux étoiles. Le matin se lève lentement.

OLIVIER

Pauvre vieux fou d'Olivier! Ce que t'as pu être idiot après soixante-dix ans! Cinquante ans t'ont pas suffi pour percer le mystère de cette Margot la Folle. Fallait que tu t'en viennes comprendre le dernier soir, quand il est trop tard. Elle t'a eu, Olivier, attiré dans ses filets, un pas à la fois. Et te voilà rendu au bout, tout seul et tout nu, face à rien... Rien... Ça, ce n'est pas absolument sûr. Ce rien-là, il te reste à le découvrir et voir ce qu'il contient. D'un coup qu'il cacherait des coffres pleins à ras bords... j'en saurai bientôt le long et le court... Mais auparavant, écris ta lettre, radoteux. Elle te l'a assez demandé, la Catherine, rédige-lui sa lettre au gouvernement. On est au trentième et dernier jour, dépêche. (*Il écrit:*) Honorable Ministre du ministère... elle a dit des transports... pourquoi les transports?... Peu d'importance, grouille-toi, flandrin. (*Lève la tête vers les étoiles.*) Calmez-vous, là-haut, y a rien qui presse... rien qui presse... amusez-vous à vous cligner de l'œil les unes aux autres... Les petites maudites en clignotant s'éteignent. Allons! tenez-vous tranquilles, bougez pas, la nuit est encore jeune... Le phare de la Pointe-à-Margot, M. le Ministre, sera désormais pris en charge par... Sacré Dieu! la Voie lactée pâlit à vue d'œil... la Grande Ourse a perdu sa queue... Honorable Ministre, les Atras renoncent au phare, (*il rature*) ... à la garde du phare... Elle a dit: «à l'heure précise où s'éteindra la dernière étoile.» J'en compte encore six... sept... huit... non, plus rien que sept... six... (*il écrit rageusement*) ... Les trente jours étant écoulés et... accomplis... c'est ça, bien dit, Olivier, accomplis... l'heure précise, qu'elle a dit, donc, rien ne peut se passer avant... aussi longtemps qu'une seule étoile tiendra... l'étoile du berger, Vénus... ne lâche pas, je t'en prie, laisse-moi finir ma lettre... encore un petit moment... amuse-toi, là-haut, regarde-nous sur notre pauvre ballon perdu, ça doit être divertissant de nous voir courir sur une croûte terreuse comme des fourmis qui recommencent éternellement à creuser leur fourmilière éventrée. Éternellement... ça va en faire du temps!... Arrête de rêver, Olivier, dépêche-toi, le temps va te manquer, le temps présent, celui d'ici-bas, le temps qui court et te pousse comme une charge de buffles sauvages... une belle vie pourtant... pas tous les jours, faut pas exagérer, t'as pas toujours été drôle, Olivier, pas toujours à la hauteur... de ton destin... Le destin! C'est Nicolas qui est menacé, vieux radoteux, redresse-toi, finis ta lettre... Attendez! attendez, là-haut! j'achève, juste la formule de politesse. Te presse pas, petite étoile du matin, tu me dois bien ça, songe à tous les rêves que nous avons faits ensemble, à nous trois, toi, Nicolas et ton vieil ami Olivier. Ne nous laisse pas tomber... brille encore un peu... bonne vieille étoile, va, tu valais bien tous les trésors qui me chatouillaient la plante des pieds. (*Il entend les autres qui reviennent du phare, se retourne, puis signe la lettre.*) ... et j'ai signé... (*Il lève la tête.*) Tiens bon une petite seconde encore, puis je ne te retiendrai plus.

SCÈNE XI

Catherine, Nicolas, Jolicœur reviennent du phare et se dirigent vers la maison.

CATHERINE

Mais si c'est pas notre Olivier l'Ancien le radoteux! Voilà la première chaloupe que le nouveau gardien aura guidé entre les récifs! Il pourra à l'avenir divaguer tout à son aise, le navigueux des dunes!

NICOLAS

Olivier, cette lumière-là éclaire jusque... jusqu'à la Grande Ourse !

CATHERINE

Viens dormir, mon garçon. T'as bien mérité de finir la nuit dans un lit de plumes... mon homme.

NICOLAS

Ton homme. Et merci pour la clef... et le phare, mame Catherine.

Catherine entraîne son fils vers la maison. Joli-cœur se tourne alors une dernière fois vers Olivier.

JOLICŒUR

Allez dormir, vous aussi, vieil homme ; demain au petit jour, la vie recommence.

Il veut partir, Olivier le retient.

OLIVIER

Jolicœur !...

JOLICŒUR

Ça va pas, Olivier ? Vous n'avez pas l'air vigou-reux, éclairé comme ça par la nuit. (*Il examine le temps.*) C'est quasiment l'aube, le ciel rougit.

OLIVIER

Attends, mon garçon, reste encore un peu, j'ai à te parler.

JOLICŒUR

Vous ne devriez pas comme ça passer la nuit à la belle étoile...

OLIVIER

Tu la trouves belle, toi aussi ? Regarde-la.

JOLICŒUR

Qui ça ?

117

OLIVIER

L'étoile, l'étoile du berger, elle est bien brave, hein? de rester la dernière à éclairer l'aube, luttant toute seule contre le soleil, le monstre...

JOLICŒUR

Le monstre? C'est le soleil que vous appelez comme ça?

OLIVIER

Cannibale! c'est lui qui chaque matin dévore la nuit, la Voie lactée, la Grande Ourse, et qui va bientôt avaler la dernière étoile... Rends-moi une faveur, jeune homme, avant de partir. Tu pars ce matin, non?

JOLICŒUR

Ce matin... enfin, bientôt, oui, dès que j'aurai dormi un peu, ramassé mes affaires et dit adieu aux autres.

OLIVIER

Ne dis pas adieu, c'est mauvais; pars sur le bout des pieds, sans réveiller la veuve des Atras, prends le bâtiment que la chance t'a envoyé, et emmène avec toi Nicolas.

JOLICŒUR

Nicolas!

OLIVIER

Il a rêvé toute sa vie de franchir l'horizon... Dépêche-toi, il reste peu de temps, fais-moi cette grâce-là...

JOLICŒUR

Olivier! il a surtout rêvé du phare, Nicolas, et...

OLIVIER

Moi aussi.

JOLICŒUR

Vous?

SCÈNE XII

Nicolas, qui les a rejoints par derrière, a entendu.

NICOLAS
Vous, Olivier?

OLIVIER
Tu es là, Nicolas?

NICOLAS
Je suis là.

Olivier le tâte, comme un aveugle.

OLIVIER
Mon Dieu, que t'as grandi tout d'un coup.

NICOLAS
Pas tout d'un coup, mais depuis tout le temps que l'un me pousse dans le dos, et l'autre me tire par les cheveux!... Quoi c'est que vous venez de dire à Jolicoeur? quoi c'est que j'ai entendu?

JOLICŒUR
Qu'il aurait aimé garder le phare, lui aussi.

NICOLAS
T'es pas sérieux. C'est pas vrai, ça, hein, Olivier? C'est point ce que vous avez dit?

OLIVIER, *qui ment mal*
Une lubie, comme ça, une toquade de vieux fou. Laisse-moi ton phare une petite escousse, Nicolas, un an ou deux, le temps pour un vieux toqué de radoteux de se contenter. Toute ma vie j'ai rêvé de balayer de ma lumière, du haut de la tour, celle-là, les quatre horizons...

NICOLAS
Ça va faire, Olivier, retombez sur le plancher des

vaches et dites-moi la vérité. C'est pas le phare que vous voulez, c'est... C'est quoi?

JOLICŒUR
Allez-y, Olivier. Il fera jour bien vite. Parlez.

OLIVIER
Va-t'en, Nicolas. Profite du matelot ton ami qui prend la mer ce matin. Embarque-toi avec lui.

NICOLAS
Pourquoi? pourquoi m'envoyez-vous au loin?

OLIVIER, *qui ment de plus en plus mal*
Ta mère et moi... tu sais...

NICOLAS, *qui se fâche*
Non, Olivier! Ça non plus c'est pas vrai. Vous voulez m'enlever ni mon phare, ni ma mère. Y a autre chose. Qu'est-ce que c'est?

JOLICŒUR
Parlez, Olivier. Nicolas est devenu un homme.

OLIVIER
Un homme, déjà? (*Il bredouille.*) ... Que Nicolas.. qu'il est...

NICOLAS
Soit, Monsieur, subjonctif.

OLIVIER
Tais-toi, petit morveux. Et écoute-moi. Tu te souviens de mon arrivée dans l'île... il y a cinquante ans?

NICOLAS
Je me souviens que vous me l'avez racontée.

OLIVIER
Eh bien, ce jour-là j'ai choisi entre deux vies possibles, les deux qui s'offraient à moi: partir à

l'aventure, vivre ma vie au grand large, risquer... ou rester dans l'île, à la quête des trésors... irréels.

JOLICŒUR
Et vous avez choisi de rester, à l'abri des remous et des vents de nordet.

OLIVIER
Je me suis tout le temps demandé quelle vie m'attendait là-bas... si j'étais parti.

JOLICŒUR
Vous en rêvez encore, c'est ça?

OLIVIER
Toi seul peux me la rendre, Nicolas. Va tenter l'aventure que je n'ai pas eu le courage de...

NICOLAS, *exaspéré*
Vivre votre vie, Olivier, c'est ça que vous me demandez? Encore un coup, prendre sur moi la vie et la destinée des autres! Mais quand c'est qu'il reviendra à Nicolas de vivre sa vie à lui et de suivre son propre destin? Quand c'est que j'aurai droit, moi, d'être ni le fils de ma mère, ni l'héritier des Atras, ni le... ni l'apprenti des chercheurs de trésors... qui n'existent pas? Y aurait-i' pas quelque part une vie pour moi, pour moi tout seul, une vie que je ferais moi-même?

Olivier et Jolicœur échangent des regards entendus et satisfaits.

JOLICŒUR
Peut-être que cette vie-là existe, Nicolas. Comment la vois-tu? Elle ressemble à quoi?

NICOLAS
Elle ressemble à de la vie, tout court: pleine de bosses, de trous, d'ornières et de chemins de vaches, ça me fait rien, pourvu qu'elle soit ma vie et que ça

soit moi qui patauge dedans. Je veux la marcher sur le long pis le travers, la prendre à brasse-corps, la petite bougresse, comme si elle m'appartenait... Vivre enfin... à m'en écœurer !

OLIVIER

T'auras point le temps de t'en écœurer, que la petite bougresse aura déjà disparu. Fini. C'est ça la plus grande beauté de la vie : d'accorder à personne le temps de s'en écœurer. Y a toujours au-dessus... ou en dedans... quelqu'un qui veille à nous la prendre avant de la laisser tomber en morceaux, usée à la corde.

NICOLAS

J'userai jamais la mienne. Je pourrai en vivre mille, si vous me laissez faire, autant que j'en aurais rêvé du haut de mon phare.

JOLICŒUR

Tu commenceras par en remplir une à ras bords, ti-gars. Après seulement tu reviendras rêver les mille autres. T'apprendras qu'une seule nuit d'amour donnera du goût à toutes les autres que tu te contenteras d'imaginer. Viens, Nicolas, il est temps de prendre la mer. Le jour se lève.

NICOLAS, *attendri*

Mais Olivier... il n'aura jamais connu cette vraie vie ? Il a accepté de perdre ?

JOLICŒUR

Mais non, tu vois pas qu'il est en train de gagner ? Suis-moi, Nicolas, et tu lui donnes sa plus belle victoire, au vieil homme.

NICOLAS

Je reviendrai, vieil ami. Prenez soin de ma mère et de notre phare.

OLIVIER, *qui lui tend la main*

La clef... donne-moi la clef, Nicolas. Vite. Il fait quasiment jour.

Nicolas lui donne la clef. Olivier le serre dans ses bras. Puis Jolicœur l'entraîne au loin.

NICOLAS

Et gardez-moi une couple d'étoiles, Olivier l'Ancien.

OLIVIER, *qui les appelle*

Hé! matelots! (*Nicolas et Jolicœur s'arrêtent.*) Jetez donc cette lettre à la première poste. (*Jolicœur revient prendre la lettre.*)

JOLICŒUR

Adieu, Olivier. Vous avez en réserve un joli coup de pied au cul pour la Margot?

OLIVIER, *avec un clin d'œil*

J'ai mieux que ça.

Jolicœur rejoint Nicolas qui crie de loin.

NICOLAS

Je veux le premier caillou du premier coffre!

OLIVIER

Caillou... peuh! un diamant, mon garçon, plus gros que cette étoile... (*Il lève la tête.*) Mon Dieu! elle est en train de mourir.

Olivier salue de loin le matelot et Nicolas qui s'en vont.

SCÈNE XIII

Arrive Margot, solennelle et triomphante.

MARGOT

La dernière étoile vient de rendre son dernier soupir. Je suis à l'heure, comme toujours.

OLIVIER

On ne recule ni n'avance sa dernière heure.

MARGOT

Le phare a éclairé la mer toute la nuit. Nicolas aura connu enfin le bonheur d'être un homme... le cher enfant. Maintenant, à moi. (*Elle marche vers le phare.*)

OLIVIER

Où vas-tu?

MARGOT

Chercher Nicolas... l'emmener au loin, loin... mais juste à côté, ne te désole pas.

OLIVIER

C'est que.. tu ne le trouveras pas dans le phare.

MARGOT, *soupçonneuse*

Comment? pas dans le phare? (*Effrayée.*) Où est-il?

OLIVIER

Il était juste à côté, mais là, il est déjà loin... loin.

MARGOT, *furieuse*

Il ne s'en tirera pas comme ça. Le septième gardien du phare ne peut pas m'échapper, il est marqué par le destin. Celui qui a reçu la clef des Atras... (*Olivier lui montre la clef.*) Qu'est-ce que c'est? Où as-tu trouvé ça?

OLIVIER

Dans un des nombreux coffres aux trésors enterrés dans l'île depuis que le monde est monde.

MARGOT, *hors d'elle*

Tu me paieras ça, salaud! Où est Nicolas?

OLIVIER

Parti mettre une lettre à la poste, une lettre destinée au ministère des Transports. Et je lui ai recommandé de traîner un peu en route, de prendre au moins une année, quant à voir le monde, le temps de laisser Olivier l'Ancien grimper dans la tour et d'y apprendre le métier de gardien de phare.

MARGOT

Ainsi tu m'as eue! Le vieil homme a trop bien appris en se frottant à Margot.

OLIVIER

À force de se frotter au renard, l'homme finit par avoir du poil.

MARGOT

Et moi des cornes, à me frotter à un vieux bouc. Mais je n'ai pas tout perdu: toi, au moins, tu ne m'échapperas pas, vieux râleux!

OLIVIER, *haussant les épaules*

Un râle de plus! (*Puis il change de ton:*) Mais dis donc, j'ai quand même fini par gagner la partie de dés.

MARGOT

Le troisième coup, un coup de trop!

OLIVIER

Bien malgré toi, tu es obligée de me révéler tes derniers secrets, maintenant que le ciel a gobé sa dernière étoile. Tu n'as plus de choix. C'est à cette heure, mon heure, que je vais avoir toutes les réponses. Je vais voir, savoir...

MARGOT

Tu ne verras jamais les navires à l'horizon, charriant leurs trésors de mer en mer.

OLIVIER, *qui rit*

Si fait! si fait! et bien plus! Je verrai ce qui se cache au-delà des mers et de l'horizon... ce qu'aucun trésor ne pouvait me révéler jamais. Je vais enfin savoir, Margot, connaître... toucher, entendre, flairer, palper, voir de l'intérieur... le mystère! Je vais savoir, Margot!

MARGOT, *mystérieuse et résignée*

Chanceux, bonhomme!... Tu en sauras bien plus long que moi.

FIN

5 avril 1987

ACHEVÉ D'IMPRIMER SUR
LES PRESSES DES ATELIERS
MARQUIS DE MONTMAGNY
LE 16 SEPTEMBRE 1987 POUR
LES ÉDITIONS LEMÉAC INC.

0100987